Paula D

Moi,
Lili Graffiti

illustré par Tony Ross

GALLIMARD JEUNESSE

À Elizabeth Levy

Plus que quatorze jours avant Noël. Plus que douze jours avant les vacances. Plus que cinq minutes avant que moi, Lili Graffiti, je tombe raide de fatigue. J'ai tellement couru les magasins que je suis complète-ment ramollo-flagada. C'est toujours ce que je dis quand je n'en peux plus.

Et là, vraiment, je suis au bout du rouleau. Mais je ne suis pas encore prête à laisser tomber… parce qu'il me reste encore une ou deux courses à faire.

Moi, Lili Graffiti, je n'ai pratiquement plus de forces… et pratiquement plus d'argent non plus.

Heureusement, il y a des cadeaux que je fabriquerai moi-même. Mais il m'en manque encore un. Et, avant de l'acheter, il faut le trouver…

— Lili, je te préviens : j'adore les librairies mais c'est le dernier magasin où tu m'emmènes aujourd'hui, me dit Max, le fiancé de ma mère et mon futur beau-père. Je n'ai pas l'habitude. Je suis sur les rotules !

Apparemment, il est aussi ramollo-flagada que moi. Je lui fais un grand sourire.

— Allez, courage ! Le marathon de Noël est presque terminé.

— … et celui de Hanoukka aussi, ajoute Max en me rendant mon sourire.

Moi, Lili Graffiti, j'ai toujours fait des tas de courses à l'époque de Noël. Maintenant que Max fait partie de notre vie, il va falloir que je m'habitue aux courses de Hanoukka. Ça allonge la liste.

Huit jours de fête, huit jours de cadeaux à faire… et huit jours de cadeaux à recevoir.

Moi, Lili Graffiti, je crois que je me plierai assez facilement à cette coutume. De toute façon, je serai bien obligée de m'y faire, puisque Max et maman ont décidé de marquer les fêtes des deux religions. Quand je dis « marquer », eux disent « respecter »… Mais, dans un cas comme dans l'autre, je trouve que c'est une très bonne idée.

Les cadeaux de Max sont déjà cachés dans la penderie de ma chambre. Je les ai achetés l'autre jour, en allant faire des courses avec maman.

Aujourd'hui, je me suis occupée de ma mère et de deux ou trois autres personnes. Pour maman, j'ai trouvé des cadeaux de Noël… et aussi des cadeaux de Hanoukka.

Pour la fête des Lumières, Max nous apportera une menora. C'est un grand chandelier à sept branches qu'on allumera tous les soirs où il viendra à la maison.

– Aïe !

Max vient de se laisser tomber un paquet sur le pied.

– Il ne manquait plus que ça, s'écrie-t-il. Maintenant j'ai vraiment les pieds en compote !

– Ne te plains pas, il t'en reste encore un en bon état, je dis pour le taquiner. Et puis ce n'est pas comme si tu avais reçu une boule de bowling. C'est le ballon de foot et le ballon de basket que je compte offrir à Justin et à son petit frère.

— Je te souhaite bon courage pour le paquet cadeau ! dit Max en riant.

— Un sac-poubelle fera très bien l'affaire. J'en prendrai un beau vert, je l'attacherai avec un gros ruban rouge et je ferai un énorme nœud. De toute façon, les garçons s'en fichent. Même si j'enveloppais leur cadeau avec du papier toilette, ça leur serait égal.

Max fait la grimace.

— Tu vas un peu vite à généraliser, ma chère. Si c'était moi qui disais ce genre de choses à propos des filles, tu m'arracherais les yeux et ta mère aussi.

Je me mords la lèvre.

— Oups ! Désolée, Max… Je crois que je ferais mieux de te poser la question : est-ce que tu aimes les beaux paquets cadeaux ? Parce que si c'est le cas, j'ai intérêt à enlever tout le papier toilette que j'ai mis autour des tiens…

Max fait une drôle de tête, comme s'il ne savait pas trop comment prendre la chose.

Je décide de ne pas le faire souffrir plus longtemps et de lui dire la vérité.

Après tout, il le mérite bien : je l'ai presque tué à force de le traîner dans les magasins, il a mal au pied et il n'a pas l'habitude de faire des courses pendant des heures avec une fille de CM1.

– C'est une blague, Max ! Je les ai enveloppés normalement, ne t'en fais pas.

Max sourit.

– Tu sais, Lili, du moment qu'ils viennent de toi, ces cadeaux me plairont forcément… même s'ils sont emballés n'importe comment.

– Mais je disais ça pour rire, je te le répète. Tu me connais : je ne peux pas m'empêcher de faire des blagues.

Max fronce les sourcils, histoire de me faire comprendre que mes plaisanteries ne sont pas toujours de très bon goût.

Tout à coup, je repère une table pleine de

livres et de cadeaux pour les maîtresses et les professeurs. Les haut-parleurs de la librairie diffusent des airs de Noël. En ce moment, ils passent *Petit papa Noël*.

Je me mets à chanter : « Peu-tiiit papaaaa Noëëël, quand tu ééé-scendras du cieeeel… ! »

Max se joint à moi. Mais lui, il chante juste.

Il y a des gens qui nous regardent en souriant. D'autres en riant. Et même quelques-uns qui se mettent à chanter avec nous.

À la fin de la chanson, Max me dit :

– Tu sais Lili, je crois que ces fêtes avec toi et Sarah vont être les plus beaux jours de ma vie.

Je souris. Maintenant que je me suis habituée à l'idée que maman et Max vont se marier, et aussi au fait que papa ne reviendra jamais plus vivre à la maison, je fais des tas de sourires à Max.

J'ai l'impression qu'il fait partie de ma vie depuis longtemps et pas seulement depuis l'été dernier, quand je suis revenue de mon voyage en Angleterre avec tante Pam… La fameuse fois où je n'ai pas pu aller à Paris pour voir mon père parce que j'avais attrapé la varicelle.

Du coup, ça me fait penser à papa. Je me souviens de tous les Noël que nous avons passés ensemble, à l'époque où maman et lui étaient encore mariés. Il y en a eu de joyeux, d'autres moins…

Cette année, Max dit que ce sera le plus beau Noël de sa vie… Tant mieux pour lui.

Pour moi, ça va être un peu bizarre. Maintenant que papa est revenu habiter aux États-Unis, j'ai peur que ça pose des problèmes, comme pour *Thanksgiving*. Je sais que je suis censée passer Noël avec maman, mais je sais aussi que je pourrai passer une partie de mes vacances avec mon père. Seulement voilà : comme il n'a pas encore trouvé d'appartement à louer, je le verrai uniquement dans la journée, tout en continuant à habiter chez moi... Sauf s'il m'emmène à New York, comme la dernière fois pour *Thanksgiving*.

Moi, Lili Graffiti, j'ai intérêt à m'habituer à tout ça. Même si mes parents ne vivent plus ensemble depuis longtemps, ils vont devoir rester en contact à cause de moi. Pour eux, c'est le début d'une autre ère... La garde partagée, ça s'appelle. Et il se passe parfois des trucs qui ne me plaisent pas du tout.

Max répète :

— Oui, ça va être le plus beau moment de

ma vie… Et j'aimerais que ce soit pareil pour toi, Lili. Notre premier Hanoukka-Noël ensemble.

— Merci, Max, je réponds doucement.

Je parcours la table des yeux : des milliards de livres, des accessoires de bureau, du papier à lettres de toutes les couleurs, des marque-pages… Et au milieu de tout ça, le cadeau idéal pour Mme Holt. Un agenda « spécial maîtresse », avec plein de notes, d'anecdotes et des tas d'activités marrantes à faire en classe.

Moi, Lili Graffiti, je trouve ce livre génial et je suis sûre que Mme Holt va l'adorer. C'est décidé, je le prends.

— J'espère que personne n'a eu la même idée que moi, je confie à Max. Et j'espère aussi qu'elle voudra bien me le prêter.

Max pose ses paquets par terre.

— Je crois que tu as fait le bon choix. Il y a de bonnes idées à chaque page. Des recettes, des jeux, des tests… C'est une vraie mine !

Je serre l'agenda contre moi.

– J'adore ce genre de choses !

– Ça te plairait d'en avoir un ? me demande Max.

– Même si je ne suis pas maîtresse ? Oh oui ! Ce serait super. Chaque fois que je te verrais, je te raconterais l'événement du jour.

– Alors je vais t'en acheter un, me dit Max.

– Wouah ! Merci !

Je le regarde en souriant de toutes mes dents et j'ajoute :

– Est-ce que tu me l'offriras pour Noël ou pour Hanoukka ? Parce que Hanoukka, c'est dans moins longtemps, tu comprends…

– Disons alors que c'est pour aujourd'hui, tout simplement…

Je feuillette l'agenda.

– *Le 11 décembre 1918, le premier monument américain dédié à un insecte fut inauguré en Alabama. Il s'agissait du charançon du cotonnier.*

— Eh bien, ça vaut vraiment le coup de fêter ça ! dit Max en riant.

Dès que je serai rentrée à la maison, j'écrirai à Justin pour lui raconter cette histoire de monument aux insectes. Moi, Lili Graffiti, je parie qu'il sera mort de rire.

Justin Morris, c'est mon meilleur ami. Il a déménagé pour aller vivre en Alabama. C'est la première fois qu'on ne sera pas ensemble à Noël…

Décidément, c'est l'année des premières fois : la première fois que Max passe Noël avec nous, la première fois que je passe Noël sans Justin, la première fois depuis deux ans que mon père sera là, mais sans être avec moi pour de vrai…

Ça fait beaucoup d'« avec » et de « sans ». Pourvu que les choses se passent SANS problème ! Après tout, c'est Noël. Et Noël, c'est la saison des fêtes. J'espère que tout le monde fera un effort pour s'en souvenir.

CHAPITRE 2 ■■■

« Étoi-leuh des nei-geuh !

– Lah lah lah laaah ! » enchaîne maman.

Tante Pam dit que nous chantons comme des casseroles, toutes les deux. Et c'est vrai.

Mais en attendant, on n'a jamais vu de casserole chanter.

– Nooo-ëëël, joyeux No-ëëël ! chantonne maman en agitant sous mon nez un petit pendentif en forme de poisson.

– Tu devrais chanter un THON en dessous, maman, ce serait sûrement mieux, je lui lance en riant.

Moi, Lili Graffiti, j'adore les jeux de mots.

J'adore aussi fabriquer des cadeaux pour mes amis.

B… R… A… N… D… I

Je compte les perles entre chaque lettre et je choisis les breloques que j'accrocherai au bracelet… Un petit chien qui ressemble au sien (sauf que celui-ci ne bave pas)… Une petite bouteille de vernis à ongles – en souvenir du jour où on avait peint nos ongles de toutes les couleurs… et les griffes du chien aussi.

Pour tante Pam, je fais un bracelet-prénom avec les lettres P… A… M… E… L… A… car, si j'écrivais juste son diminutif, il faudrait qu'elle ait un poignet de bébé. Comme breloques, je choisis un livre – parce qu'elle est prof d'anglais —, un modèle réduit de Big Ben – parce qu'elle adore l'Angleterre —, une ribambelle de coccinelles – parce qu'elle aime beaucoup ces bestioles – et… une petite tente puisqu'elle est ma tante.

Je prépare aussi un bracelet-prénom pour
Brenda, ma Lili-sitter, en y accrochant des
mini-ustensiles de cuisine : une casserole,
une poêle et une toute petite spatule (c'est un
clin d'œil, parce qu'elle a le chic pour inven-
ter des recettes très originales… pour ne pas
dire immangeables). J'ajoute aussi une
paire de ciseaux, car Brenda se fait toujours
des coupes de cheveux pas possibles. À tel
point qu'un jour, maman lui a fait promettre
de ne JAMAIS me couper les cheveux… ni
JAMAIS me faire de piercing à n'importe
quel endroit du corps. Pour ce qui est des
cheveux, je suis plutôt contente qu'elle ait
dit ça. Mais j'aimerais TROP qu'elle m'au-
torise à me faire percer les oreilles !

Seulement voilà : ma chère maman n'est
pas d'accord. Pas question avant que j'aie
douze ans.

Une fois mes bracelets-prénoms terminés,
je m'attaque aux bijoux Scrabble. Pendant
des mois, ma mère et moi avons farfouillé
dans toutes les brocantes, tous les bric-à-

brac et tous les vide-greniers du quartier pour trouver de vieux jeux de Scrabble. Du coup, on peut faire plein de trucs avec toutes les lettres qu'on a amassées.

Je prends un O et un H pour faire des boucles d'oreilles à ma maîtresse, Olivia Holt. Si elle les porte en mettant le O à l'oreille droite, ça fera OH. Si elle fait l'inverse, ça fera HO. Moi, Lili Graffiti, je trouve ça marrant.

J'en fabrique aussi une paire pour tante Pam. Son nom de famille, c'est Thompson.

Je lui conseillerai de mettre le T à gauche et le P à droite, car le contraire ne serait pas très élégant.

J'ai presque fini. De son côté, maman vérifie si les faux diamants que j'ai collés sur le cadre de Grandma sont bien fixés. Grandma, c'est ma grand-mère paternelle. Autrement dit la mère de mon père. Elle vit en Floride et je ne l'ai pas vue durant tout le temps où papa était en France. Je suis triste de ne pas la voir plus souvent, mais j'espère qu'on pourra bientôt aller lui rendre visite, maintenant que mon père est de retour.

Je prends un cadre tout simple et je commence à coller des perles et des paillettes dessus. À la fin, je mettrai une photo de moi à l'intérieur (avec encore plein de paillettes pour faire joli).

— Très amusant, me dit maman. Et puis… c'est économique.

Je hoche la tête. Heureusement que c'est économique ! Je suis presque ruinée. J'ai demandé tellement d'avances à ma mère sur mon argent de poche que je ne toucherai plus un sou jusqu'au mois de mars. Si j'avais dû acheter tous les cadeaux que j'ai à faire, il aurait fallu que j'attende au moins jusqu'au mois d'août !

Au tour de Max maintenant. Je vais lui offrir une salière en forme de boule de bowling et une poivrière en forme de quille. J'ai trouvé ça dans un magasin C-Pas-Cher. Je reconnais que c'est un peu tarte, mais je suis sûr que ça plaira à Max puisque c'est lui qui s'occupe de notre équipe de bowling. Pour faire encore plus kitsch, je décore la quille avec plein de faux diamants de toutes les couleurs. Je montre mon œuvre d'art à ma mère.

– Super, non ? Et puis s'il s'embête à table, il pourra toujours s'amuser à faire des strikes !

Maman fronce les sourcils. Je ne sais pas si c'est le fait d'imaginer Max en train de faire l'andouille avec le sel et le poivre, ou si c'est parce qu'elle trouve ma décoration d'un goût douteux…

Finalement, elle me dit en souriant :

— Max sera très touché que tu te sois donné tant de mal pour lui, Lili.

Je prends la salière-boule et je commence à coller des tas de faux diamants dessus.

Maman continue à regarder mon duo sel-poivre d'un air pensif.

— Ça me fait tout drôle de penser que ces objets feront partie de la maison après notre mariage…

Je ferme les yeux pendant une minute, le temps de réfléchir à ce qu'elle vient de dire.

Je sais qu'ils sont fiancés. Je sais qu'ils vont se marier. Mais j'ai encore du mal à nous imaginer tous les trois sous le même toit.

Pendant que je fermais les yeux, CATAS-TROPHE ! Le tube en a profité pour fuir par tous les bouts et j'ai de la colle plein les doigts.

— Oups !

Non seulement mes doigts sont collés ensemble, mais le tube est collé à la boule… et la boule collée à ma main. Ça s'annonce mal. Je m'apprête à me frotter les yeux mais maman m'attrape la main au vol.

– Surtout ne fais pas ça ! me dit-elle.

D'accord. Seulement maintenant, sa main reste collée à la mienne… qui est collée à la boule… qui est elle-même collée au tube. Je regarde ma mère avec un petit sourire en coin.

– On ne t'a jamais dit que tu étais du genre collante ?

– Ce n'est pas drôle, répond-elle.

Et puis elle éclate de rire et moi aussi.

– C'est sans doute ça, avoir des liens très forts avec sa mère…

Maman secoue la tête en souriant. Je pense aux relations mère-fille en général. Et puis aux relations père-fille.

– Dis, maman… Étant donné que papa va bientôt venir me chercher, on va peut-être être obligés d'aller tous les trois au restaurant ?

J'ai beau savoir que c'est stupide, moi, Lili Graffiti, je rêve encore que mes parents se remettent ensemble. Mais pour que ça marche, il faudrait sans doute les coller l'un à l'autre avec ma super glu.

– Aller au restaurant avec lui ? ? ? ! ! !

Ma mère secoue la tête. Apparemment, cette idée ne la fait pas rire du tout. Même pas sourire.

– Inutile d'y songer un quart de seconde, Lili. Moins je verrai ton père, mieux je me porterai.

Moi, Lili Graffiti, je déteste quand maman dit ce genre de chose. Ça me fait de la peine. Vraiment. J'ai toujours pensé que j'avais une mère presque parfaite mais, depuis le retour de papa, je la trouve un peu bizarre… Il lui arrive souvent de dire des trucs méchants sur lui et j'ai horreur de ça.

– Bon. Il nous faudrait du dissolvant, reprend-elle.

Je lève le doigt pour me porter volontaire.

– Je sais où il est, je vais aller le chercher !

Mais, dès que je bouge la main, maman aussi. Conclusion : si je veux aller chercher le dissolvant, il va falloir que maman m'accompagne.

Je réalise tout à coup que j'ai terriblement envie d'aller aux toilettes. Et pour ça, j'ai passé l'âge que ma mère m'accompagne !

Si on doit encore rester collées longtemps, la situation va devenir franchement embarrassante…

On monte les marches, main dans la main, puis on se dirige vers le tiroir où maman range tout son maquillage. On prend le dissolvant… Ouf ! ça marche.

Je file aux toilettes.

Maman redescend.

– Dépêche-toi ! me crie-t-elle. Ton père va arriver d'une minute à l'autre et je ne tiens pas à ce qu'il s'attarde ici.

Pendant que je suis là-haut, le téléphone sonne. Je me précipite pour répondre. C'est pour moi. C'est Brandi qui hurle dans l'appareil :

– Flash info ! Flash info ! Flash info ! Bulletin spécial pour Lili Graffiti ! Une nouvelle fantastique ! Essaie de deviner. Allez, vas-y, il faut absolument que tu trouves ce que c'est !

Moi, Lili Graffiti, je n'en ai aucune idée.

Brandi est super excitée.

— Allez, tu as droit à trois réponses !

Je ne sais vraiment pas par quoi commencer.

— Tu vas à Disneyland ?

— Non. Plus que deux essais.

— Tu vas te marier avec Frédéric Alden ?

— Nooooooooooooon ! ! ! Quelle horreur ! répond Brandi en rigolant.

Moi, Lili Graffiti, j'étais sûre que ça la ferait craquer. Frédéric Alden, c'est un garçon de l'école qui passe son temps à se mettre les doigts dans le nez. Même qu'il mange ce qu'il a récolté, parfois. C'est aussi lui qui a oublié de fermer sa braguette, le jour de la photo de classe.

– Tu donnes ta langue au chat ? me dit Brandi. Alors écoute bien : je vais me faire percer les oreilles ! Mes parents m'ont dit qu'ils m'offraient ça comme cadeau de Noël… Et tu sais quoi ? Les parents de Kelly sont d'accord eux aussi !

Tout à coup, j'ai une grosse boule dans la gorge et l'estomac qui fait des nœuds.

Je suis à deux doigts de pleurer. Mes deux amies vont se faire percer les oreilles… et moi, il faudra que j'attende d'avoir douze ans. Deux longues années avant que mon rêve se réalise. C'est vraiment pas juste !

Brandi reprend :

— Kelly et moi, on a décidé d'aller dès aujourd'hui à la bijouterie du centre commercial. Écoute, Lili, ce serait trop bien qu'on se fasse percer les oreilles toutes les trois ensemble ! Il faut absolument convaincre ta mère de te laisser venir avec nous. Tu n'as qu'à lui dire que les nôtres sont d'accord…

Je reste muette.

— Tu veux que ma mère en parle à la tienne ? demande Brandi.

Je fais non avec la tête, puis je réalise qu'elle ne peut pas me voir étant donné qu'on est au téléphone.

— Non, pas la peine, elle ne voudra jamais. On en a déjà discuté, elle trouve que je suis trop jeune. Et de toute façon, mon père doit passer me chercher bientôt.

– Oh ! C'est trop bête… Mais peut-être qu'il pourrait t'accompagner, lui ?

– Oui, mais il faudrait d'abord que je demande la permission à maman. Enfin, on ne sait jamais, j'arriverai peut-être à la faire changer d'avis…

Après tout, ce n'est pas parce qu'on l'a obligée à attendre d'avoir dix-sept ans pour se faire percer les oreilles que je dois attendre des siècles moi aussi.

– Tu n'as qu'à la supplier à genoux, poursuit Brandi. Lui expliquer que TOUTES LES FILLES se font percer les oreilles… sauf celles pour qui c'est déjà fait depuis longtemps. Allez, Lili, insiste un peu ! Ce serait trop, trop bien qu'on puisse y aller toutes les trois !

Je commence à avoir mal à la tête. Connaissant ma mère, il y a une chance sur un milliard pour qu'elle dise oui… Et puis j'ai la sale impression que Brandi Colwin, une de mes meilleures amies du monde, et Kelly Verdegry, la nouvelle de la classe qui est devenue notre amie, ont mijoté ça toutes les deux sans se préoccuper de savoir si je pourrais les suivre ou pas.

J'étais si heureuse avant ce maudit coup de fil ! Je donnerais tout pour être déjà partie avec mon père, comme ça je n'aurais rien su de leur plan.

Je pousse un soupir à fendre l'âme.

— C'est bon, je vais essayer d'en parler à ma mère. Si je ne te rappelle pas dans dix minutes, c'est que c'est raté.

— Je vais croiser les doigts… et les doigts de pieds aussi, me dit Brandi. Ce serait vraiment trop, trop génial que ça marche !

Après avoir raccroché, je file dans ma chambre pour changer de T-shirt, vu qu'il est plein de taches. Ensuite je dévale l'escalier tout en grattant un dernier petit bout de colle sur le dessus de ma main. Ma mère est dans la cuisine, en train de débarrasser la table de tout le bazar que j'ai mis.

— Merci, maman, c'est très gentil.

Je l'aide rapidement à ranger le reste, puis je me jette à l'eau.

— Dis, m'man… j'ai quelque chose à te demander… mais s'il te plaît ne dis pas non.

— C'est quoi ? me demande-t-elle, méfiante.

— Eh bien voilà… Brandi et Kelly vont aller se faire percer les oreilles aujourd'hui et… elles m'ont proposé de venir avec elles pour me les faire percer aussi. S'il te plaît, maman, dis oui ! Je t'en prie ! Je t'en supplie avec plein de crème Chantilly !

— Non, Lili. Quand tu auras douze ans, d'accord. Pour l'instant, je te trouve encore trop jeune. Quand on a les oreilles percées, il y a des précautions à prendre pour éviter les risques d'infection, et j'ai besoin d'être sûre que tu y feras bien attention. Le problème, c'est que tu n'es pas encore capable de te prendre en charge, Lili. Tu ne sais pas t'organiser… Tu n'es pas soigneuse, tu ne ranges jamais ta chambre… Si tu veux que je change d'avis, il faudra d'abord me prouver que tu es responsable… et aussi avoir une ribambelle de bonnes notes à l'école.

— C'est promis, m'man ! Je t'assure que je serai sérieuse et que je ferai bien attention. Je suis responsable maintenant… Et puis j'ai eu de super bonnes notes la semaine dernière. Quant à ma chambre, je te jure que je la rangerai bien et que je ferai mon lit tous les matins. Je vais être un modèle d'organisation, tu vas voir !

— Oui, justement, j'attends de voir. Quand tu auras vraiment fait des progrès, nous en reparlerons. Mais pour l'instant, c'est non.

— S'il te plaaîîît ! ! ! !

— Inutile d'insister, Lili. Le débat est clos.

Et voilà, j'en étais sûre ! C'est raté. Je suis trop malheureuse. Je me mets à pleurer mais ça ne sert à rien. Ma mère continue de s'activer dans la cuisine. Je regarde la pendule. Quatre heures dix. Trop tard pour rappeler Brandi. Le délai est déjà passé.

On sonne à la porte d'entrée. C'est mon père. Je parie que Kelly et Brandi sont déjà en route pour le centre commercial. Papa ne va pas être content de me voir dans cet état-là. Je respire à fond, j'essuie mes larmes et je vais ouvrir.

— Qu'est-ce que tu as, ma puce ?

— Rien, je t'expliquerai plus tard.

Ma mère arrive.

— Bonjour, Philip…

Bbbrrrrr ! Elle parle d'une voix glaciale.

— Ne ramène pas Lili trop tard, elle a des devoirs à faire.

Papa hoche la tête, puis il se tourne vers moi.

— Tu as mis le T-shirt de New York, à ce que je vois…

C'est celui qu'il m'a offert pour *Thanksgiving*. Dessus, il y a écrit : « ATTENTION : JE NE SUIS PAS UNE DINDE* ! »

---

* Par tradition, les Américains mangent de la dinde le jour de *Thanksgiving*.

Quand je l'ai montré à ma mère en reve-
nant, elle m'a demandé :

— Est-ce que ton père en a acheté un pour
lui avec marqué : « ATTENTION : CHIEN
MÉCHANT » ?

Je fais un gros bisou à papa pour lui dire
bonjour, ensuite un gros bisou à maman
pour lui dire au revoir.

Elle se passe aussitôt la main sur la joue, comme pour s'essuyer. C'est plutôt vexant. C'est la première fois que je la vois faire ça. Qu'est-ce qui lui prend ? Elle a peur que je lui donne des microbes ou quoi ?

Je me mords la lèvre.

Moi, Lili Graffiti, je suis toute retournée. Ça me fait de la peine. J'essaie de comprendre...

Peut-être qu'elle m'en veut à cause de cette histoire d'oreilles percées ?

Peut-être aussi qu'elle n'aime pas que je l'embrasse juste après avoir embrassé papa. Oui, c'est sûrement ça.

— Allons-y, dit mon père en passant le bras autour de mes épaules.

Maman nous accompagne jusqu'à la porte et là, elle se penche pour me donner un super gros bisou. Je lui en fais un à mon tour et cette fois, elle ne l'essuie pas.

— Surtout ne me la ramène pas trop tard, répète-t-elle à mon père. N'oublie pas qu'il y a école demain.

– Et toi, n'oublie pas que nous avons opté pour la garde partagée, Sarah. C'est MON après-midi avec Lili, d'accord ?

Garde partagée… Je commence à détester ces deux mots. J'ai l'impression que dans l'histoire, c'est moi qui suis partagée. Coupée en deux. La moitié pour mon père, l'autre pour ma mère. Bref, je ne m'appartiens plus. Chacun prend un bras, une jambe… Ou bien alors ils gardent le tout, mais seulement une partie du temps. Et moi, Lili Graffiti, je n'aime pas ça.

Un jour – c'était la fois où le coiffeur m'avait coupé les cheveux beaucoup trop court –, j'ai dit à maman que j'étais trop malheureuse qu'ils ne s'entendent plus bien, tous les deux… Je croyais que les choses allaient s'arranger, mais non. Pas du tout.

Ils sont si froids l'un envers l'autre.

Pourtant, ça n'a pas toujours été comme ça. Je me souviens même de les avoir vus s'embrasser, quand j'étais petite.

S'embrasser…

Il va falloir que je fasse attention. À partir de maintenant, quand l'un des deux me fera un baiser, j'attendrai un peu avant de faire la bise à l'autre, sinon ce serait un peu comme s'ils s'embrassaient entre eux.

Drôlement compliqué, tout ça. Il devrait y avoir un mode d'emploi pour les enfants de divorcés, avec une liste de tout ce qu'il faut faire ou pas, les gaffes à éviter, tout ça.

Moi, Lili Graffiti, je trouve qu'il devrait aussi y avoir un règlement pour les parents… Et l'article numéro un, ce serait qu'il ne devrait pas y avoir de règlement pour les enfants.

– Alors Lili, me dit mon père. Tu veux bien m'expliquer pourquoi tu pleurais, maintenant qu'on est tous les deux ?

Pendant un moment, papa et moi on reste assis dans la voiture. Qu'est-ce que je vais faire ? Qu'est-ce que je vais dire à mon père ? Il faut que je réfléchisse…

Pour l'instant, je suis très en colère après ma mère.

Elle ne veut pas que je me fasse percer les oreilles, elle devient méchante dès que papa se pointe. Bref, ce n'est pas du tout la maman que je croyais connaître.

Le problème, c'est que si j'en parle à mon

père, il va se prendre pour le meilleur papa du monde. Et ça, ça me rend folle.

Je prends ma respiration.

– Tu sais… je pleurais parce que Brandi et Kelly m'avaient proposé d'aller me faire percer les oreilles avec elles cet après-midi et que je n'ai pas pu. Voilà.

– C'est à cause de moi que tu n'as pas pu y aller ? me demande papa.

Tout à coup, une petite lumière s'allume dans ma tête. C'est l'illumination. Enfin, plutôt une idée… et une idée qui n'est peut-être pas tellement lumineuse. Mais ça vaut la peine de tenter le coup. Moi, Lili Graffiti, j'en ai assez de voir mes parents se comporter comme ça. Assez d'être tiraillée entre eux deux.

J'ai envie de faire un truc rien que pour MOI.

Je hoche la tête en reniflant.

– Oui… en partie. Mais tant pis, ça ne fait rien, je pourrai toujours me les faire percer plus tard.

J'évite de préciser que « plus tard », pour maman, c'est dans deux ans et demi.

Au bout d'une minute de réflexion, mon père reprend :

– Écoute, ma puce, je ne veux pas t'empêcher de voir tes amies. Ce n'est pas parce nous devions faire quelque chose ensemble cet après-midi que…

– Mais non, c'est bon, ne t'en fais pas… De toute façon, elles doivent déjà être arrivées au centre commercial, alors…

Mon père se décide à mettre le contact.

– Inutile de faire cette tête-là, Lili chérie, je vais t'y emmener, moi, au centre commercial ! Et une fois que tu auras retrouvé tes copines, vous irez vous faire percer les oreilles en chœur.

– Oh merci, papa ! Merci dix milliards de fois. Tu es génial… Le meilleur papa du monde !

– Alors « en route la troupe ! » comme dit ta tante Pam, s'écrie mon père en démarrant.

Ça m'étonne qu'il dise ça. Tante Pam est la sœur de ma mère… Maintenant que mes parents sont divorcés, c'est quand même bizarre que mon père cite l'expression favorite de son ex-belle-sœur, non ?

Moi, Lili Graffiti, je pense aussi à ce que je viens de faire… Je n'ai pas vraiment menti à mon père… mais je ne lui ai pas vraiment dit la vérité non plus. Enfin, pas toute la vérité… Mais j'ai tellement envie d'avoir les oreilles percées ! Et puis après tout il n'a pas dit non… Comme je suis moitié la fille de ma mère et moitié la fille de mon père, ça signifie que je devrais pouvoir me faire percer une oreille sur deux… Et maman ne devrait être qu'à moitié en colère… Puisqu'ils estiment que je leur appartiens moitié-moitié, je pourrais me faire percer l'oreille qui est à mon père et pas la sienne. Décidément, la garde partagée, c'est drôlement compliqué.

— Vrrrrrrrrrrrooooooooooom ! fait papa en conduisant.

Il faisait toujours ça quand j'étais petite.

Il tourne la tête et me regarde en souriant.

— Vrrrrrrrrrrooooooooooom ! je fais.

Et puis je me mets à chanter :

— Envolons-nous vers les cieux, dans le grand ciel bleu…

C'est la chanson que papa me chantait quand j'étais petite et qu'il me soulevait très haut pour faire l'avion.

On continue à chanter en chœur. C'est un truc entre nous… C'est bien de s'en souvenir et de continuer à le faire, surtout maintenant. À la fin de la chanson, mon père demande :

– Une fois au centre commercial, tu sauras où aller ?

Je me mords la lèvre. Comment faire pour retrouver Brandi et Kelly ? Moi, Lili Graffiti, je n'en sais rien du tout et ça me pose un gros problème.

Ce serait peut-être le moment de lui dire la vérité. Mais, dans ce cas-là, je serai probablement la seule fille de tous les CM1 du monde à ne pas avoir les oreilles percées. D'un autre côté, si je me tais, je me retrouverai avec les oreilles percées, une mère en colère et un père furieux. Mais comme un plus un égale deux, j'aurai les deux oreilles percées !

C'est décidé : je fonce.

– Elles devaient aller chez Jamison, la grande bijouterie de l'allée centrale. L'ennui, c'est qu'elles ne m'ont peut-être pas attendue, puisqu'elles croyaient que je ne pourrais pas venir… Si on ne les trouve pas, tu crois que je ferais mieux de remettre ça à plus tard ?

Pendant que mon père se gare sur le parking, je prie de toutes mes forces pour qu'il dise les mots que j'attends.

Au lieu de ça, il me demande :

— Lili, tu es sûre qu'elles ont le droit de se faire percer les oreilles, n'est-ce pas ?

— Sûre et certaine, papa.

Et maintenant, il va me demander ce que maman en pense, c'est clair.

Mais non. Il hoche la tête en disant :

— Alors c'est d'accord. Je te fais confiance.

Quelque chose me dit que je vais regretter ce que je suis en train de faire. Mais je le regretterai encore plus si je ne le fais pas.

Moi, Lili Graffiti, je vais me faire percer les oreilles.

Je suis super excitée… mais j'ai le trac. Et pas seulement à cause des trous qu'on va me faire.

■ CHAPITRE 5 ■■■

— C'est dommage qu'on n'ait pas croisé tes amies, me dit mon père en sortant de la bijouterie.

— Oui, vraiment dommage, je dis en hochant la tête d'un air désolé.

Je me garde bien de lui dire qu'en fait j'ai été bien soulagée de ne pas les voir. Elles auraient pu lancer un truc dans le genre : « Ta mère a fini par craquer ? Super ! »

Du coup, ça aurait tout gâché.

Mon père est en pleine forme.

– Tu sais, Lili, je suis content d'être
revenu et de pouvoir passer plus de temps
avec toi. Je n'aurais jamais dû accepter ce
poste à Paris…

– Ça c'est bien vrai ! J'étais trop malheureuse quand tu es parti. Promets-moi que tu
ne referas plus jamais une chose pareille.

Tout en parlant, je tripote mes boucles
d'oreilles.

— Oui, c'était une grave erreur, reprend papa en secouant la tête. Une de plus à ajouter à la longue liste de toutes les erreurs que j'ai pu commettre à cette époque-là…

— Qu'est-ce que tu veux dire ?

Il se remet à secouer la tête, puis change brusquement de sujet.

— Pour Noël, je pourrais t'offrir une autre paire de boucles d'oreilles pour remplacer celles-ci, une fois que le trou sera cicatrisé, qu'en penses-tu ?

J'en pense que je suis tout à fait d'accord, étant donné qu'il y a peu de chance pour que maman me fasse un cadeau de ce genre.

Maman… je me demande ce qu'elle va dire. À mon avis, elle ne va pas sauter de joie.

Mais papa était d'accord. Je n'ai même pas eu besoin de lui demander. Il a dit oui et puis c'est tout.

Pourtant j'ai la vague impression que c'est la pire chose que j'aie faite depuis que je suis née.

Mais après tout ils le méritent ! On n'a pas idée de me traiter comme ça… Jamais mon mot à dire. Comme si je n'avais aucun droit…

C'est toujours eux qui décident de tout et qui choisissent à ma place. Eh bien, pour une fois, moi, Lili Graffiti, j'ai fait ce que j'avais envie de faire, là !

Seulement maintenant, je me sens bizarre. J'ai des remords parce que mon père est tout content et qu'il ne fera sûrement plus la même tête, une fois que maman sera au courant.

Moi, Lili Graffiti, je ne suis pas très fière de moi. Je commence à avoir mal à la tête… et ce n'est sûrement pas à cause des trous qu'on vient de me faire.

— J'ai une surprise pour toi, me dit soudain papa.

— Qu'est-ce que c'est ?

— Si je te le dis, ce ne sera plus une surprise. Allons ! dépêchons-nous, il faut qu'on y soit à six heures.

Pendant qu'on quitte le centre commercial, je sens mon ventre qui gargouille.

– Dis, p'pa, où est-ce qu'on va manger ? Dans un fast-food ou dans un restau-lent ?

C'est comme ça que j'appelle les restaurants normaux parce qu'on attend toujours des heures !

Depuis que papa est revenu, on va toujours manger au restaurant. C'est parce qu'il n'a pas encore trouvé d'appartement. Pour le moment, il habite chez des amis – les Donaldson. Mais il prend ses repas à l'extérieur, pour ne pas « abuser de leur hospitalité ».

– L'endroit où nous allons dîner fait partie de la surprise, m'annonce-t-il.

Aïe. Je crains le pire… La dernière fois qu'il m'a proposé un dîner-surprise, c'était pour m'emmener dans un restaurant japonais où on a mangé des sushi. Autrement dit : du poisson cru. Sur le coup, j'ai cru que j'allais vomir. J'avais l'impression de croquer dans un pauvre poisson rouge tout

droit sorti de son aquarium. Et puis finalement, je n'ai pas trouvé ça si mauvais…
sauf le calmar et la pieuvre. Là, je n'ai pas
pu. Impossible d'avaler ces trucs blancs
tout caoutchouteux… et pleins de ven-
touses, par-dessus le marché. Sans compter
que ça me faisait penser à Ursula, dans *La
Petite Sirène*.

Alors maintenant que mon père parle
encore de dîner-surprise, j'ai un peu peur…
Mais j'ai aussi très faim. Et puis je suis
curieuse de savoir où on va aller. Je touche
mes boucles d'oreilles et j'attends que papa
me dise la suite. Je préférerais que ce soit
lui qui me fasse à manger. À la maison,
c'est simple. Quand j'ai un petit creux, je
vais me chercher quelque chose dans la cuisine. Avec papa, c'est différent. Il faut toujours qu'on aille quelque part quand on veut
manger. Ou alors on grignote un petit truc
en voiture. C'est assez bizarre.

À la sortie du centre commercial, mon
père ne prend pas le chemin du quartier où

se trouvent la plupart des restaurants que je connais. Au bout d'un moment, il tourne dans une rue, pas très loin de chez moi. Mais ce n'est pas là où habitent les Donald-son. Puis il se gare devant une maison.

– Voilà, nous sommes arrivés chez nous, me dit-il.

Moi, Lili Graffiti, je ne m'attendais pas à une surprise pareille.

— Bienvenue à la maison, Lili, poursuit mon père.

Je tourne la tête vers lui, ensuite vers la maison en question. Il fait assez sombre mais on voit que c'est bien une vraie maison. Il y a même de la lumière au premier étage.

— On est chez qui, là ?

— Mais chez nous, ma puce ! Enfin… chez nous et chez les Marshall. Finalement, l'idée de louer un appartement dans un immeuble ne me tentait pas beaucoup... Mais je ne voulais pas non plus d'une grande maison pour nous seuls. Alors quand un de mes collègues de bureau m'a annoncé que son locataire venait de partir, je lui ai demandé de visiter les lieux...

et comme ça m'a plu, j'ai signé le bail hier. Voilà toute l'histoire… Cette maison a été conçue pour deux familles. Nous avons le rez-de-chaussée et le sous-sol ; les Marshall occupent les deux étages du dessus. Viens ! Je vais te faire visiter notre chez-nous, ensuite nous irons rejoindre Steve et ses enfants.

Je reste assise sans bouger. Papa fait le tour de la voiture, puis il m'ouvre la portière en faisant une courbette, comme un chauffeur de maître.

Je refuse de quitter mon siège.

– Allez, Lili, descends ! Ils nous attendent
pour dîner.

Je ne lui lance même pas un regard. Raide
comme une statue de marbre, je garde les
yeux fixés sur le pare-brise.

Tous mes sentiments se bousculent. Je
pense à trop de choses à la fois. J'ai l'impression que ma tête va exploser.

Je suis retournée… bouleversée…
furieuse… jalouse… triste…

Je ne sais pas quoi dire. Je ne regrette
plus de l'avoir piégé avec mon histoire
d'oreilles percées. Bien fait pour lui !

Je reste assise sans bouger, les yeux fixés
sur le pare-brise, avec des larmes qui
commencent à couler. Je ne veux pas pleurer.

– Lili…

Il s'accroupit près de la portière grande
ouverte.

– Viens vite, il fait froid… Qu'est-ce qui
t'arrive ? Je ne comprends pas… Donne-
moi au moins un indice.

Ça, c'est papa tout craché. Il ne comprend rien à rien. Il lui manque toujours un indice. Ce n'est pas M. Graffiti mais M. Sanzindice qu'il devrait s'appeler.

Je suis vraiment furieuse contre lui.

– Lili, répète-t-il, regarde-moi et dis-moi ce qui ne va pas. Pourquoi pleures-tu ? Je déteste te voir pleurer.

Je finis par le regarder mais je ne sors pas un mot.

– Lili, s'il te plaît… ne gâche pas cet instant. Regarde, c'est notre nouvelle maison… Je suis sûr que tu vas l'adorer !

Mon nez commence à couler. Juste un peu.

Je renifle. Une fois, deux fois. Et puis je dis :

– Tu m'avais promis.

– Promis quoi ? demande papa.

– De t'aider à choisir un appartement… Tu m'avais dit qu'on irait en visiter plusieurs et qu'on prendrait la décision ensemble. Et finalement tu ne m'as même pas demandé mon avis.

Il s'appuie contre la voiture et reste sans voix.

Je continue :

— Et maintenant je découvre que c'est une MAISON où vivent des tas d'autres gens ! Steve et ses enfants… Est-ce qu'il y a aussi une Madame Steve ? Et si je ne les trouve pas sympas, ces enfants ? Et si moi, je ne leur plais pas ?

— Je suis sûr que tu leur plairas, Lili. Tout le monde t'aime bien.

— C'est pas vrai.

En disant ça, je pense à quelqu'un de ma classe en particulier.

— Surtout ne me dis pas qu'un des enfants s'appelle Hannah Burton !

— Ne t'inquiète pas, il n'y a personne de ce nom-là dans la maison, répond mon père en secouant vivement la tête. Il y en a deux qui sont dans la même école que toi. L'aînée est au lycée. Leur nom de famille, c'est Marshall. Polly, Dylan et Savannah Marshall. Steve est séparé de sa femme mais c'est lui qui a la garde des enfants.

Savannah… Ce nom me dit quelque chose. Elle est en CE2, dans la classe de M. Cohen.

Dylan aussi, je crois que je le connais. Il est en CM2… Un de ces types qui se croient tout permis sous prétexte qu'ils font partie des grands. Un jour, il m'a traitée de morveuse.

Polly, je ne la connais pas.

Je n'ai pas envie de sortir de la voiture.

Et puis il y a encore un truc qui me chiffonne… Quelque chose qui reste coincé en travers de ma gorge. Mon père n'a pas tenu sa promesse et j'attends des excuses.

— Chérie, me dit-il. Tout ira bien, fais-moi confiance.

Pff ! Difficile, après le coup qu'il vient de me faire.

— Monsieur Graffiti ! Lili ! crie quelqu'un.

En me penchant, j'aperçois Savannah Marshall qui vient vers nous.

Mon père serait drôlement embêté si je lui demandais de me ramener à la maison, là, tout de suite. Retourner chez moi et chez ma mère. Là où j'ai mes habitudes, mes repères… où je peux compter sur certaines choses.

Mais avec mes oreilles percées, je ne suis pas tellement pressée de rentrer, en fin de compte.

Je me tourne vers papa. Il a l'air tout triste. Ensuite je regarde Savannah. Elle est toute souriante.

Mon ventre recommence à gargouiller.

Je renifle un bon coup. Pas question qu'une fille de CE2 me voie en train de pleurer.

Il faut que je prenne une décision. Mais laquelle ? Moi, Lili Graffiti, je n'en sais rien du tout et ça me rend folle.

Savannah se baisse pour voir à l'intérieur de la voiture, puis elle se redresse pour regarder mon père et se penche de nouveau vers moi.

– Ça va ? me demande-t-elle.

Je renifle discrètement. Heureusement qu'il commence à faire nuit, comme ça elle ne peut pas voir mes yeux rouges et bouffis, ni mes joues toutes barbouillées de larmes. Je rassemble toutes mes forces mentales

pour retrouver un visage normal. Au cas où
ça ne marcherait pas, je déclare quand
même :

— Allergie. Je suis allergique…

— À quoi ? demande Savannah d'un air
inquiet.

J'ai envie de lui dire « aux pères sans
indices », mais je me rabats sur « à des tas
de choses… Mais ne t'en fais pas, ça va
aller ».

Mon père me tend la main pour m'aider à descendre.

— Merci, je suis capable de me débrouiller toute seule.

Papa remballe sa main. Je sors de la voiture.

Moi, Lili Graffiti, je n'ai pas le choix. Je vais devoir entrer dans cette maison. Cette maison qu'il a louée sans moi. Si je la déteste, je n'y remettrai plus jamais les pieds.

Savannah me sourit et nous commençons à remonter l'allée. Mon père marche quelques pas derrière. Je ne fais pas attention à lui.

— Tu es dans la classe de M. Cohen, je dis sans vraiment poser la question.

Elle hoche la tête sans lâcher son sourire.

— Tu as de la veine, c'est un super maître.

— Je sais, dit Savannah.

Mon père nous a rattrapées mais je fais comme s'il n'existait pas.

On pousse la porte et on entre. Juste en face, il y a un escalier qui monte. Et sur la gauche, un peu en retrait, une autre porte.

Mon père me touche l'épaule.

– C'est là que nous allons habiter, Lili.

– J'habite déjà rue des Marronniers, je dis en me tournant vers Savannah.

– Ici, c'est la rue des Ormes… Ça te fera deux adresses avec des noms d'arbres, c'est rigolo.

C'est vrai. C'est assez marrant. Deux maisons… Deux noms d'arbres. C'est peut-être un signe… Plus tard, quand je serai grande, je finirai peut-être par habiter dans une cabane tout en haut d'un arbre ? Cette idée me fait rire… jusqu'au moment où je repense au présent et à tous les changements qui m'attendent.

Tout ça paraît trop réel, tout à coup.

Moi, Lili Graffiti, je vais avoir deux adresses… deux maisons… une où j'habiterai avec ma mère… une autre où j'habiterai avec mon père.

Garde partagée, ça s'appelle.

C'est bizarre. Quand papa a pris un appartement en ville, peu de temps après s'être séparé de maman et avant de partir travailler en France, j'avais toujours l'impression d'être en visite quand j'allais chez lui.

Aujourd'hui il voudrait que je me sente chez moi quand je viens chez lui et pas seulement quand je suis chez maman et moi.

Dans un sens, l'idée ne me déplaît pas. Mais au fond, je n'en suis pas sûre.

— Tu veux que je te fasse visiter ? me demande Savannah. Je ferais semblant d'être une dame de l'agence immobilière et toi tu serais la cliente.

Oui, ce serait drôle. Moi, Lili Graffiti, j'adore ce genre de jeu. Seulement là, il ne s'agit pas de faire semblant. C'est pour de vrai.

— Merci, Savannah, dit mon père, mais je préférerais montrer moi-même la maison à

Lili. Et puis je voudrais lui parler seul à seul. Sois gentille : monte voir ton père et dis-lui que nous arrivons d'ici dix minutes, un quart d'heure, d'accord ?

Savannah a l'air déçu. Moi aussi, je le suis un peu. J'aurais bien aimé jouer avec elle, même si elle est plus petite que moi.

Une fois Savannah partie, je regarde mon père sans me fendre du moindre sourire. J'attends qu'il se décide à parler.

Et c'est ce qu'il fait.

— Je suis désolé, Lili.

Ah ! C'est pas trop tôt.

Je continue à le regarder droit dans les yeux.

— J'aurais dû te faire voir la maison avant, je le reconnais, poursuit-il. Je n'ai pas tenu ma promesse et je le regrette sincèrement. Mais je voulais te faire la surprise, tu comprends ? Je croyais que c'était une bonne idée. Dès que j'ai vu cet endroit, j'ai été emballé. Et puis... Steve est devenu un ami, ses enfants sont adorables et... c'est bon de sentir la présence d'une famille sympa, juste à côté de soi. Tu sais, Lili, je me sens si seul par moments… Je ne vois plus grand monde depuis mon retour. Tu passes la plupart du temps avec ta mère. De mon côté, je travaille toute la journée et je reste au bureau le plus tard possible pour ne pas déranger les Donaldson. J'aurais pu prendre une chambre d'hôtel en attendant de trouver un logement, bien sûr… mais je me serais retrouvé encore plus seul.

Ça fait deux fois qu'il dit ça. Moi, Lili Graffiti, j'ai de la peine pour lui. Je ne veux pas qu'il se sente seul. Je me jette dans ses bras et il me serre très fort. Puis il m'embrasse sur le front.

— Je t'aime tant, ma Lili.

— Moi aussi, papa.

— Tu me pardonnes ?

Je hoche la tête.

J'espère qu'il me pardonnera aussi quand il apprendra le fin mot de l'histoire au sujet de mes oreilles…

Tout à coup, je pense à une autre promesse qu'il m'avait faite. Celle-là, j'espère qu'il la tiendra pour de bon.

— Dis, p'pa, tu te souviens ? Tu m'avais dit que je t'aiderais à choisir les nouveaux meubles… Tu es toujours d'accord ?

— Plus que jamais ! dit mon père, la main sur le cœur.

Moi, Lili Graffiti, je suis prête à visiter la maison.

■ ■ ■ CHAPITRE 8 ■

– Voici notre entrée personnelle, annonce mon père en ouvrant la porte. Il y en a une autre par-derrière, mais celle-ci donne directement sur la salle de séjour.

Notre futur séjour, c'est une grande pièce vide.

– On pourra aussi prendre nos repas dans ce coin-là, quand on n'aura pas envie de manger dans la cuisine, ajoute papa en faisant un vague geste vers la gauche.

Je hoche la tête.

Il n'y a pas grand-chose à dire. C'est juste une grande pièce toute nue.

— Viens voir par là ! poursuit-il en se dirigeant vers les fenêtres du fond.

Je m'approche pour regarder dehors.

— Formidable, non ? s'exclame papa.

Oui, c'est un très joli jardin avec de grands arbres, des balançoires et même une cabane perchée à deux mètres du sol. Une vraie cabane en bois en haut d'un vieux chêne, rue des Ormes.

— Le jardin est en commun avec la famille Marshall, précise papa. Tu peux y aller quand tu veux.

Moi, Lili Graffiti, je me vois déjà en train de jouer dans la cabane avec Savannah. Et aussi avec Brandi et Kelly, quand elles viendront ici.

J'ai hâte d'écrire à Justin pour lui annoncer qu'il n'est pas le seul à avoir une cabane dans un arbre. Moi aussi, j'en ai une maintenant.

Mais j'y pense : je ne sais pas encore si je me sentirai chez moi dans cette maison.

— On continue la visite ? me dit mon père en me prenant par les épaules.

Il me montre la cuisine. Elle n'a rien de spécial… Comme je n'aime pas trop me mettre aux fourneaux, ce n'est pas une pièce qui m'intéresse beaucoup… sauf pour bavarder tout en mangeant un morceau.

— J'espère que tu ne m'en voudras pas, reprend papa, mais j'ai déjà acheté des casseroles, une poêle, quelques ustensiles et un peu de vaisselle.

J'ouvre le frigo.

— Et aussi des provisions, à ce que je vois !

Papa hoche la tête.

— Je me suis dit que je pouvais m'en charger sans t'attendre.

— Tu as bien fait.

Je prends le pot de beurre de cacahuètes et je regarde l'étiquette.

— Papa ! Tu as pris du « crémeux ». Je te

signale que moi, Lili Graffiti, je préfère quand il y a des petits bouts qui croquent.

– Alors moi, Philip Graffiti, j'en achèterai la prochaine fois pour ma fille adorée, autrement dit Lili Graffiti… Ou bien dois-je désormais t'appeler Moililigraffiti ?

Je rigole.

– Pourquoi dis-tu toujours « moi, Lili Graffiti » dès que tu parles de toi ? me demande papa.

Moi, Lili Graffiti, je prends le temps de réfléchir.

Et voilà ma réponse :

— C'est une façon de me sentir plus forte. Quand je dis ça, j'ai l'impression d'être vraiment moi. D'être à moi toute seule et pas seulement Lili Graffiti, ta fille, la fille de ma mère ou l'élève de Mme Holt… Tu n'as pas besoin de m'appeler comme ça… mais pour moi c'est important de le dire. Pour savoir que je suis moi… et pour que les autres le sachent aussi.

— Eh bien ! dit mon père en sifflant. Pour quelqu'un de neuf ans et demi, tu as sérieusement fait le tour de la question.

Je hoche la tête. Eh oui, c'est comme ça… Le divorce, ça pousse les enfants à cogiter. Rien que le fait de vivre, d'ailleurs, ça donne à penser.

Je regarde autour de moi.

— Bon. Et ma chambre ? Où est-elle ? Si je dois venir habiter ici une partie du temps, il faudra bien que je dorme quelque part. Est-ce que moi, Lili Graffiti, j'aurai le droit d'avoir une chambre ?

— Oui. Toi, Lili Graffiti, tu as déjà ta chambre. Elle est en bas… Mais finissons d'abord de visiter le rez-de-chaussée.

Il n'y a plus grand-chose à voir, à part une salle de bains et… une chambre avec un sac de couchage dans un coin.

— Ceci est ma chambre à moi, précise papa. Demain, j'irai chez Ikea pour acheter un lit et quelques meubles. On en parlera à ta mère… J'espère qu'elle sera d'accord pour que tu rates un jour d'école. On va bien s'amuser, non ? Une journée de courses entre père et fille ! Pour que tout s'enchaîne bien, c'est important qu'on y aille dès demain. Si on achète les meubles le plus tôt possible, on pourra se faire livrer dans quelques jours, je leur demanderai de nous envoyer un de leurs spécialistes pour assembler tous les morceaux… et tout sera fin prêt d'ici Noël. Si on essaie de se débrouiller tous seuls, on risque d'y être jusqu'à Pâques ! J'ai apporté le catalogue pour que tu le regardes et que tu fasses un premier choix. Les décisions finales, on les prendra sur place. Ça te convient ?

Pas d'école… une journée de shopping avec papa… Moi, Lili Graffiti, ça me convient parfaitement.

Il me tend le catalogue mais je n'ai même pas le temps de l'ouvrir qu'il me dit :

– Maintenant, allons voir le sous-sol. C'est là que se trouve ta chambre.

Charmant !.. Chez moi – enfin, là où j'habite avec ma mère, – le sous-sol sert à entreposer des tas de trucs, y compris la machine à laver et le sèche-linge. Il n'est pas vraiment terminé, il y a plein de toiles d'araignée et c'est un peu sinistre.

Ici, je serai donc reléguée au sous-sol… Pendant un moment, je m'imagine, vivant comme un monstre des profondeurs tout droit sorti d'un livre d'horreur. De temps en temps, mon père me jettera des bouts de pain rassis avec un peu de beurre de cacahuètes dessus, histoire que je survive dans mon trou.

Je suis mon père sans rien dire. Je crains le pire.

Erreur : le sous-sol est super !

— Ici, nous ferons la salle de jeux, dit papa. On mettra la télévision dans ce coin-là... l'ordinateur de l'autre côté... et là, une table pour faire des puzzles. Tu te souviens ? On en faisait souvent ensemble, quand tu étais petite.

Je m'en souviens. J'ai l'impression que c'était il y a très longtemps. J'avais des puzzles avec les personnages de Sésame Street, Mickey et Pluto, et un autre avec des Schtroumpfs qui cueillaient des champignons dans la forêt. C'était mon préféré.

Mais aujourd'hui, j'ai passé l'âge des puzzles. D'ailleurs je les ai tous donnés à Danny, le petit frère de Justin.

Mon père me montre une grande boîte.

— Regarde, j'en ai acheté un nouveau. On pourra s'y mettre chaque fois que tu viendras.

Aïe, aïe, aïe ! Pourvu que ce ne soit pas un puzzle débile. Je sais que papa est resté longtemps absent, mais j'espère qu'il réalise que j'ai grandi depuis l'époque des Mickey, Donald et compagnie.

Je m'approche de la table en croisant les doigts… Pourvu que ce ne soit pas un puzzle Barney ! Moi, Lili Graffiti, j'ai toujours eu horreur de ce dinosaure violet, même si c'est ma couleur préférée.

– Tu as vu ça ? me dit papa, très fier de lui.

Oui, j'ai vu. Je retrouve le sourire. C'est un super puzzle en trois dimensions, qui représente une grosse pendule avec la lune, plein d'étoiles et des arcs-en-ciel. Et en plus d'être un puzzle, c'est une vraie pendule qui marchera pour de bon, car à l'intérieur de la boîte, il y a un petit mécanisme pour la faire fonctionner.

– C'est trop, trop bien !

– Quand on l'aura terminé, on pourra l'accrocher au mur, reprend papa. Ici, par exemple… ou bien là… Qu'en penses-tu ?

Je regarde l'endroit qu'il montre du doigt.

– Ici ce sera parfait.

Papa a l'air vraiment content.

– Maintenant, allons voir ta chambre !

Il traverse la pièce et ouvre une porte en grand.

Ta-daaaah !

Je me penche pour regarder à l'intérieur. C'est une salle de bains.

– Dis papa, tu as l'intention de me faire dormir dans la baignoire ?

– Oups ! fait-il. Je me suis trompé de porte. J'ai encore un peu de mal à m'y retrouver… Tout s'est déroulé si vite !

Il ouvre la porte d'à côté.

Ta-da-daaaah !

Je risque un œil… Cette fois, c'est la bonne. C'est une pièce immense, environ deux fois plus grande que ma chambre actuelle. En plus, il y a un lit-mezzanine… Mon rêve ! Encore mieux que des lits superposés, parce qu'il n'y a rien en dessous.

C'est comme une cabane dans un arbre, mais dans ma propre chambre.

J'entre en courant et je me poste au pied de la mezzanine, histoire de l'examiner sous toutes les coutures.

— Elle était déjà installée, dit mon père. Mais si tu préfères dormir dans un lit normal, on l'enlèvera.

— Tu es fou ? Je veux la garder. Je trouve ça génial !

Je pose le pied sur le premier barreau de l'échelle et je grimpe à toute vitesse.

Il y a assez de place pour mettre un matelas de deux personnes, ce qui n'est pas de trop pour moi et tous mes animaux en peluche. Le plafond est si haut que je peux me tenir debout sans problème… et il reste encore de l'espace au-dessus. Mon père monte à son tour. Il se cogne la tête et s'assied maladroitement. Je regarde le plafond. Il y a des étoiles et des planètes fluorescentes collées juste au-dessus de nous. Ça doit être terrible quand on est allongé dans le noir.

— Ça te plaît ? me demande papa.

— J'adore !

— Alors tu es d'accord pour vivre ici… hein ?

Je réfléchis deux secondes.

— Quand je resterai avec toi, oui. Mais je ne passerai pas tout mon temps ici. N'oublie pas que j'ai aussi un lit chez maman…

Papa hoche la tête, puis il me prend dans ses bras et on se fait un gros câlin. Au bout d'un moment, je demande :

— Qu'est-ce que tu aurais fait si j'avais dit non ?

— Franchement, je n'en sais rien du tout… Mais je suis drôlement content que tu aies dit oui.

Je le regarde droit dans les yeux.

— Papa… jure-moi qu'à partir de maintenant, tu tiendras toujours tes promesses.

Il se remet à hocher la tête.

— Je ferai de mon mieux, Lili.

Hum !… J'aurais préféré qu'il dise juste : « Oui, c'est promis. » « Je ferai de mon mieux », ça lui laisse encore des chances de se tromper. Et moi, Lili Graffiti, je ne trouve pas ça très rassurant.

Mais il faut quand même reconnaître qu'il s'est débrouillé comme un chef : il a réussi à trouver une chouette maison (avec une chambre géniale pour moi), il s'est souvenu qu'on faisait souvent des puzzles ensemble (c'est gentil de sa part)… Et puis on va bientôt aller acheter plein de choses, tous les deux.

Finalement, ça ne s'annonce pas si mal.

Moi, Lili Graffiti, je suis prête à tenter l'expérience… J'espère seulement que tout se passera bien.

— Et pour terminer cette journée en beauté, me dit mon père, tu vas faire la connaissance des Marshall.

Il frappe au premier étage. Une seconde et demie plus tard, la porte s'ouvre.

— Ah, enfin ! s'écrie Savannah en sautillant sur place.

Derrière elle, j'aperçois Dylan. Il s'est enfoncé une frite dans le nez. Derrière Dylan, il y a un adulte. En bon père de famille, il retire la frite qui dépasse du nez de son fils, puis il s'avance vers moi.

— Bonjour, Lili, sois la bienvenue dans cette maison, dit-il en me tendant la main. Je suis Steve Marshall.

Je vérifie discrètement que ce n'est pas la main qui tient la frite avant de lui tendre la mienne.

— Salut Lili ! lance une fille beaucoup plus grande que moi. Je m'appelle Polly.

Elle porte des collants noirs, un grand T-shirt noir et des tonnes de bijoux. Juste derrière elle, quelqu'un s'écrie soudain :

— SURPRISE ! ! ! !

C'est Brenda, ma Lili-sitter. La meilleure baby-sitter du monde… si on oublie qu'elle est aussi la pire cuisinière de l'univers. Elle et moi, on s'entend super bien.

Comme d'habitude, on dirait qu'elle s'est coiffée avec un pétard ; mais aujourd'hui ses cheveux sont roses avec des paillettes orange et violettes. Les bombes de couleur, ça la rend complètement dingue !

Je me précipite vers elle.

— Qu'est-ce que tu fais ici ? je lui demande en l'embrassant.

— Polly est ma meilleure amie.

Polly… Elle m'a souvent parlé d'elle mais je n'avais pas fait le rapprochement avec Polly Marshall. En fait, tout se passe si vite que je suis un peu perdue.

Brenda me regarde. Ou plus exactement : elle m'examine.

— Lili, depuis quand as-tu les oreilles percées ?

J'avais presque oublié.

— Depuis tout à l'heure…

Elle me lance encore un coup d'œil, puis elle se tourne vers mon père. Il est en train de bavarder avec M. Marshall.

Du coup, Brenda se penche vers moi et me glisse à l'oreille :

— Est-ce que ta mère est au courant ? Elle t'a donné la permission ?

Je me mords la lèvre en secouant la tête. Brenda fait la grimace en murmurant :

— Ouh là là !

M. Marshall s'avance vers moi.

— Lili, tu connais déjà Savannah mais je ne crois pas t'avoir présenté mon fils Dylan… qui a une fâcheuse tendance à se prendre pour un cornet de frites ambulant.

Je souris à Savannah… et je regarde Dylan, qui a trouvé le moyen de s'enfoncer une frite dans chaque oreille. Son père les lui enlève.

– Si tu recommences, je t'oblige à les manger. Alors arrête tes bêtises, s'il te plaît !

Dylan lui fait un grand sourire.

– D'ac, p'pa. Je le ferai plus. Ni dans le nez, ni dans les oreilles.

– Et ailleurs non plus, précise M. Marshall en fronçant les sourcils.

– Zut, lâche Dylan.

Moi, Lili Graffiti, j'aime mieux ne pas penser aux autres endroits qu'il avait envie de tester.

– Bon. Passons à table, reprend M. Marshall. Lili, j'espère que tu aimes les hot dogs, les frites et les haricots ?

– J'adore !

C'est bizarre. J'ai l'impression d'être invitée à une fête où je ne connais que trois personnes : mon père, Brenda et moi.

La table est déjà mise. Je suis morte de faim. Tout le monde s'assied et on commence à se servir. Je me prépare mon plat favori : j'ouvre le pain du hot dog, je mets des haricots sur la saucisse, ensuite une couche de moutarde, une couche de frites et une couche de ketchup, et puis je referme le tout et je croque dedans. Miam !

La famille Marshall est du genre bruyant. Moi, Lili Graffiti, j'ai l'habitude de manger seule avec ma mère – ou avec ma mère et Max, de temps en temps. Mais même quand on est trois, on ne fait jamais autant de bruit. Ici, tout le monde rigole, tout le monde parle en même temps. On se taquine, on se lance des blagues. À la maison aussi, ça nous arrive. Mais en version plus calme.

S'il y a autant de bruit, c'est surtout à cause de Dylan, qui s'amuse à faire la course entre deux hot dogs.

– Attention, chers amis sportifs ! Top ! Le départ vient de sonner !… Qui va gagner ? Le pilote en casaque jaune, Bobby Moutarde ? Ou bien celui de l'équipe rouge, Henry Ketchup ? Waouh ! Pour l'instant, c'est Moutarde qui est en tête… mais pourra-t-il conserver son avance ? Regardez ! Ketchup n'est pas loin… il se rapproche dangereusement… il le talonne… il n'est plus qu'à une longueur de frite de son adversaire… Quel suspense, mesdames et messieurs ! Ketchup gagne encore du terrain… Il ne faudrait pas que MOUTARDE TARDE à franchir la ligne d'arrivée !

Dylan rit de sa propre blague et son père aussi. À la maison, Maman ne me laisserait jamais faire ça à table. D'ailleurs, quand on y réfléchit bien, il y a plein d'autres choses que je n'ai pas le droit de faire. Des trous dans mes oreilles, par exemple… Que va-t-il se passer quand elle apprendra ça ? Rien que d'y penser, ça me rend nerveuse.

Pour me changer les idées, je regarde Dylan. Il s'est remis des frites dans les narines. Il se tourne vers moi en louchant et il ouvre sa bouche pleine de ketchup. Quelque chose me dit qu'entre Justin et lui, ça collerait bien.

Mais si Dylan s'imagine qu'il va me dégoûter en faisant ce genre de trucs, c'est raté. Quand on était petits, Justin et moi, on s'amusait à s'enfoncer des Choco-Pops dans le nez. Même que Justin les faisait d'abord tremper dans du lait, parfois… Sans parler de la super balle qu'on avait fabriquée avec tous les vieux chewing-gums qu'on avait mâchouillés…

Alors Dylan, il me fait doucement rigoler avec ses frites…

Son père lui ordonne d'arrêter, mais je parie qu'il va recommencer dans trois minutes. En matière de bêtises, Dylan doit avoir de l'imagination à revendre !

Brenda est assise à côté de moi. Tant mieux, je me sens plus à l'aise.

Quand je me suis réveillée ce matin, je m'attendais à mener ma petite vie de tous les jours… et puis BING ! je me retrouve tout d'un coup avec une vie totalement différente. Voilà pourquoi je suis bien contente que Brenda soit là. Elle, je la connais, elle ne change pas — sauf de couleur de cheveux… et il n'y a pas de quoi en faire un fromage.

Elle est surexcitée à l'idée que je vienne habiter ici.

— Tu sais, Lili, les soirs où ton père sortira, je pourrai venir te garder et on se retrouvera tous ensemble, ce sera géant !

J'interroge papa du regard. Il hoche la tête pour me montrer qu'il est d'accord. Je me demande s'il sortira, les soirs où je serai là… Je me demande aussi avec qui il pourrait sortir…

Brenda continue :

— Et puis si tu veux — et si on a le temps — on pourra regarder le catalogue Ikea ensemble, comme ça tu auras déjà une idée avant d'aller au magasin.

Tout s'enchaîne tellement vite…

— Dis, Brenda, depuis combien de temps es-tu au courant de tout ça ?

— Deux jours. Polly m'a téléphoné avant-hier pour m'annoncer que ton père avait décidé de louer… et j'ai vu ton père hier, quand il est passé ici après avoir fait quelques courses. Polly et moi, on bossait sur un exposé de biologie. On a commencé à bavarder, ton père et moi… et je lui ai proposé de te donner un coup de main pour ta chambre. Si tu es d'accord, bien entendu.

Je lui fais signe que oui.

Dylan prend la bouteille de ketchup, puis il fait semblant d'en asperger Savannah qui se met à hurler.

Pendant que M. Marshall avertit Dylan que c'est sa dernière chance avant de quitter la table, Brenda me chuchote à l'oreille :

— Je ne pouvais pas te prévenir avant, ton père m'avait fait jurer de garder le secret. Il voulait être le premier à t'annoncer la nouvelle.

Je hoche la tête en me mordant la lèvre.

– Qu'est-ce que tu as, Lili ? On dirait que quelque chose te tracasse.

Je hausse les épaules.

– Non, non. Tout va bien. Enfin… je crois.

Mon père est en train de nous regarder. Je parie qu'il essaie d'écouter ce qu'on dit. Du coup, je me tais.

– Lili, reprend Brenda, ça va être génial, je t'assure ! Ne t'inquiète pas. Tu as vraiment de la chance, tu sais. Tu avais déjà une super maison chez ta mère… maintenant tu vas en avoir une deuxième chez ton père.

Moi, Lili Graffiti, j'espère que ce sera vrai.

Mon père se penche vers moi.

– Lili, rappelle-toi ce que le bijoutier t'a dit : tout à l'heure, il faudra mettre de la pommade sur tes oreilles pour éviter qu'elles s'infectent.

– Je l'aiderai à le faire, ne vous en faites pas, monsieur Graffiti, dit Brenda. D'ailleurs, on va même s'en occuper tout de suite pour être sûres de ne pas oublier. Si vous voulez bien nous excuser un instant…

Pendant qu'on disparaît dans la salle de bains pour faire mes petits soins en toute tranquillité, Brenda me dit :

— Je croyais que ta mère ne voulait pas que tu te les fasses percer avant tes douze ans.

C'est le moment ou jamais de tester mes arguments.

— Mais puisque mon père était d'accord, lui ! Et puis après tout, c'est mes oreilles à moi, pas celles de ma mère.

— Tu ne t'en tireras pas comme ça, ma petite, répond Brenda en secouant la tête d'un air peu convaincu.

— Ça te va bien de dire ça, toi qui as des tas de trous partout !

— Peut-être, mais j'ai aussi la permission de ma mère. Elle m'a juste interdit de me faire percer la langue… Et de toute façon, je n'avais pas l'intention de le faire.

— Berk !

Déjà que j'ai les oreilles en feu… alors qu'est-ce que ça doit être pour la langue ! De ce côté-là, ma mère peut être tranquille : moi, Lili Graffiti, je n'ai aucune envie d'essayer.

— En tout cas, conclut Brenda, je n'aimerais pas être à ta place quand ta mère verra ça !

Je la comprends. Moi, Lili Graffiti, je n'aimerais pas être à ma place non plus à ce moment-là.

— C'était vraiment un grand jour, non ? me dit papa en se garant devant chez maman et moi.

— Oui, je réponds en me touchant machinalement les oreilles.

Je commence sérieusement à regretter ce que j'ai fait… Quelque chose me dit que ce grand jour ne va pas tarder à se gâter.

— Attendons de voir ce que ta mère dira en découvrant tes boucles d'oreilles ! reprend papa, toujours plein d'entrain.

J'essaie d'avoir l'air calme, tranquille, détendue et je dis à voix basse :

– Oui… attendons de voir…

Je me tourne vers lui.

– Dis, papou… Si on restait encore cinq minutes dans la voiture ? J'aimerais bien passer un peu plus de temps avec toi.

Papa me sourit de toutes ses dents. Il adore quand je lui dis ce genre de choses. D'ailleurs, c'est vrai que j'aimerais rester plus longtemps avec lui. Surtout maintenant. Ah ! si seulement il n'y avait pas ce problème avec ma mère et mes oreilles. Pourquoi la vie est-elle si compliquée ? Moi, Lili Graffiti, j'ai toujours rêvé d'avoir les oreilles percées. J'imaginais la joie que ce serait, le jour où ça arriverait…

Papa commence à me parler de demain et il me dit qu'on va bien s'amuser quand on ira choisir nos meubles.

– J'espère que ta mère sera d'accord pour que tu rates l'école. Je veux absolument que tout soit prêt pour Noël. Une fois que tout sera installé, on se sentira vraiment chez nous.

Je me contente de hocher la tête.

Papa regarde sa montre.

– Chérie, nous devons y aller maintenant. J'ai promis à Sarah de te ramener tôt pour que tu puisses faire tes devoirs. Il ne faudrait pas la contrarier, hein ?

« Trop tard », je me dis en moi-même.

On sort de la voiture et on se dirige vers la maison. Mon père appuie sur la sonnette.

– Pas la peine. On n'a qu'à pousser la porte.

– Non, Lili, réplique papa. Toi, tu peux te le permettre mais pas moi. Je n'habite plus ici… donc je sonne avant d'entrer.

Encore un truc auquel je n'avais pas pensé. Je me remets à culpabiliser. Papa s'efforce de tout faire comme il faut. Moi, Lili Graffiti, j'ai encore pas mal de progrès à faire de ce côté-là.

– Je peux rentrer toute seule, tu sais. Tu n'auras qu'à appeler maman plus tard.

Comme ça, elle passera sa colère sur moi d'abord… et avec un peu de chance, elle sera calmée quand mon père lui téléphonera.

Raté. La porte s'ouvre.

– Bonsoir, Sarah, dit mon père. Est-ce que je peux entrer cinq minutes ? J'ai quelque chose à te demander.

– Si tu veux, répond ma mère.

On va dans le salon. À peine assise, je me relève d'un bond.

– Je ferais mieux d'aller faire mes devoirs tout de suite, non ?

– Bonne idée, dit maman.

Je cours vers la porte. Vivement que je sois dans ma chambre !

– Attends, Lili ! s'écrie mon père. Avant de t'en aller, montre à ta mère ce que nous avons fait aujourd'hui.

Je reste figée sur place. Je regarde papa… Je regarde maman… et je plaque mes mains sur mes oreilles.

– Allez, Lili, montre-moi ce que vous

avez fait aujourd'hui, répète doucement
ma mère.

— Maman…

— Oui, Lili ?

— Qu'est-ce que tu as ? s'étonne papa.
Montre tes nouvelles boucles d'oreilles,
voyons !

Cette fois, c'est maman qui se lève d'un
bond. Elle avance à grands pas et se plante
devant moi.

— Lili, enlève immédiatement tes mains et
fais-moi voir tes oreilles.

J'obéis. Maman me fusille du regard.

— Comment as-tu osé ?… Je t'avais pourtant dit non ! Du moins pas avant d'avoir douze ans.

Je me mets à pleurer. Du coup, ma mère se tourne vers mon père en hurlant :

– Et toi ? Comment as-tu pu faire une chose pareille ? Comment oses-tu t'opposer à ma décision ?

Papa devient tout blanc.

– Quelle décision ? Je n'en savais rien…

Puis il se tourne vers moi. Il a l'air à la fois choqué, furieux et triste.

– Sarah, reprend-il, je t'assure que j'ignorais tout de cette affaire…

– … Facile à dire !

– C'est la vérité, bon sang !

Ça y est, papa se met en colère.

– Crois-tu vraiment que j'aurais emmené Lili se faire percer les oreilles, sachant que tu n'étais pas d'accord ? Si j'avais pu me douter de quoi que ce soit, je t'en aurais parlé avant.

– C'est justement ce que je te reproche, figure-toi.

— Je ne vois pas pourquoi ce serait à toi seule de tout diriger dans cette famille, lance mon père en croisant les bras.

— Mais tu ne fais plus partie de la famille, Philip, riposte ma mère en lui faisant une affreuse grimace.

Moi, Lili Graffiti, je commence à avoir mal au ventre. Tout allait si bien jusqu'à présent… Mais l'orage approche. Finie, la belle journée.

— Je ne fais peut-être plus partie de TA famille, Sarah, mais de celle de Lili, oui ! J'ai encore des droits, moi aussi. N'oublie pas que je suis son père.

— Et où étais-tu, toi le père exemplaire, quand il y avait des décisions importantes à prendre ? À Paris… loin de tout, loin de nous. Ensuite, tu te repointes comme une fleur et tu n'en fais qu'à ta tête !

Maman fait une pause pour reprendre son souffle et essayer de se calmer un peu, mais elle n'en démord pas.

— Je n'arrive pas à comprendre comment

tu as pu faire ça, Philip. J'avais pourtant dit à Lili qu'il n'en était pas question pour le moment.

– Mais puisque je me tue à te répéter que je n'en savais rien !

Mon père se tourne vers moi. Aïe ! J'ai de plus en plus mal au ventre… et ce n'est sûrement pas à cause des hot dogs de tout à l'heure.

Je regarde papa, puis maman.

– J'en ai marre à la fin ! Vous croyez tous les deux que je vous appartiens. Depuis que papa est revenu, vous n'arrêtez pas de vous disputer sur ce que je dois faire, où, quand, comment. Quand l'un dit noir, l'autre dit blanc. On ne me demande jamais mon avis. Moi, Lili Graffiti, je ne sais même plus qui je suis… J'ai l'impression que chacun veut décider à la place de l'autre… parfois même pour des trucs qui ne me concernent pas… Comme si vous cherchiez toujours des prétextes pour vous disputer.

Je tape du pied. En général, ce n'est pas mon genre, mais là, je suis vraiment folle de rage. Clac ! Encore un coup… Et puis un autre…

– Voilà, un pour chacun, comme ça, il n'y aura pas de jaloux… Et au cas où vous

n'auriez pas compris : je vous en veux à tous les deux. Ex aequo !

– Écoute, Lili, dit mon père. Je ne comprends plus rien. On a pourtant passé une bonne journée, tous les deux ? Ce n'est tout de même pas ma faute si tu ne m'as pas averti que ta mère n'était pas d'accord pour que tu te fasses percer les oreilles ! Si quelqu'un ici devait se mettre en colère, c'est bien moi… sans oublier Sarah. Après tout, tu nous as menés en bateau tous les deux.

Je frappe encore du pied.

– Ah d'accord ! Je vois ! Vous deux, vous avez le droit de vous mettre en colère mais pas moi, c'est ça ? Eh bien, j'en ai assez. C'est pas juste !

Je me remets à pleurer.

Maman me regarde. J'ai envie qu'elle me prenne dans ses bras. Mais non. J'attends… J'espère de toutes mes forces qu'elle va s'approcher. Apparemment, elle n'est pas décidée. Mon père non plus. Ils restent plantés là, à deux mètres de moi. Je suis atrocement malheureuse.

Quand ma mère reprend enfin la parole, c'est pour me dire :

— Il est temps d'aller faire tes devoirs, Lili. Monte dans ta chambre et profites-en aussi pour réfléchir à ce que tu as fait. Pendant ce temps-là, ton père et moi allons essayer de discuter calmement. Nous t'appellerons quand nous aurons fini. Et maintenant, file !

— Mais maman…

— J'ai dit tout de suite ! dit maman en croisant les bras.

Inutile d'insister. Je monte dans ma chambre. Le problème, c'est qu'il faudra bien en ressortir un jour ou l'autre…

■ CHAPITRE 11 ■■■

Je n'arrive pas à réviser ma leçon d'ortho-
graphe. Je suis incapable d'ouvrir un livre,
incapable de me concentrer sur mes devoirs.

Mes parents sont en bas.

J'espère qu'ils ne sont pas en train de se
disputer.

J'espère qu'ils ne vont pas se dire des
choses horribles.

J'espère qu'ils ne vont pas me crier dessus.

J'espère que tout va bien se terminer.

J'espère qu'ils m'aiment toujours.

Je prends mon miroir et je regarde mes stupides boucles d'oreilles.

Qu'est-ce qui m'a pris de faire un truc pareil ? Oui. Pourquoi ?

J'essaie de penser aux raisons.

Premièrement, j'en mourais d'envie. Deuxièmement, j'adore les bijoux. Troisiè-mement, toutes les filles se font percer les oreilles et moi, Lili Graffiti, j'aurais été la seule débile à ne pas avoir de trous. Enfin… toutes les filles, peut-être pas. Mais mes meilleures amies, oui (sauf Justin, mais ce n'est pas une fille).

Et maintenant ?

Ma mère est furieuse contre mon père. Mon père est furieux contre ma mère. Ils sont tous les deux furieux contre moi.

Je regarde encore mes boucles d'oreilles dans la glace. De jolies petites boules en or. Comme première paire, c'est parfait.

Et maintenant ?

Elles vont sans doute ternir, se noircir, infecter mes lobes… Et puis l'infection gagnera tout le reste de mon corps et je mourrai. Du coup, mes parents seront drôlement embêtés.

Je me mords la lèvre. Ils seront peut-être bien contents, au contraire !

Si je n'étais plus là, ils ne seraient plus obligés de se voir. Ce serait sûrement un soulagement pour eux. En tout cas pour ma mère, c'est clair. Pour mon père, je ne sais pas. Parfois j'ai l'impression qu'il aime encore ma mère et qu'il regrette leur séparation… mais après ce que je viens d'entendre, qui peut savoir ?

Si je n'étais plus là, ma mère et Max pourraient se remarier tranquillement et tout recommencer à zéro… Avoir des enfants… Des enfants qui n'auraient pas envie de se faire percer les oreilles.

Si je n'étais plus là, mon père pourrait aller vivre où il veut, même à l'autre bout du monde… Il ne serait pas obligé d'habiter tout près d'ici à cause de la garde partagée.

À moins qu'ils se partagent la garde de ma tombe.

Et si j'écrivais mon testament ? Je pourrais leur léguer une boucle d'oreille chacun.

Je prends une feuille et je m'installe sur mon lit, à côté de mon gorille.

– Et toi ? Qu'est-ce que je pourrais te laisser en héritage, hein ? je lui demande.

Il ne répond pas. Et pour cause, c'est un animal en peluche ! Non seulement je ne peux rien lui léguer, mais c'est lui que je dois léguer à quelqu'un. Si je le laissais à Brandi ? Et Kelly aurait Sushi – mon dauphin. Quant à Justin, il récupérerait notre

balle en chewing-gum. Il l'aurait pour lui tout seul et pas seulement en garde partagée comme maintenant. J'espère qu'il pensera à moi de temps en temps, quand il mâchera un chewing-gum et qu'il l'ajoutera à la balle.

– Lili ?

C'est ma mère qui frappe à la porte.

– Entre, je lui dis sans bouger de mon lit.

Elle s'avance vers moi.

– Je suis contente de voir que tu travailles.

– J'écris mon testament.

Elle a l'air étonné, puis elle se met à sourire. Pour un peu, on dirait qu'elle va éclater de rire. Moi je ne trouve pas ça drôle.

– Tu le finiras plus tard, me dit-elle en reprenant son sérieux. Pour l'instant, je voudrais que tu descendes. Ton père et moi avons à te parler.

Je me lève. J'ai envie qu'elle me serre dans ses bras mais elle ne le fait pas.

On redescend au salon. Il y a deux tasses vides sur la table basse. Mes parents ont l'air très calme. Je m'assieds. Ils me regardent et personne ne dit rien pendant une minute. Finalement, c'est maman qui parle en premier :

— Sais-tu ce que tu as fait de mal, Lili ?

Je soupire. Ce n'est vraiment pas l'heure des devinettes ! J'aurais préféré qu'on m'annonce les choses clairement plutôt que d'avoir à les dire moi-même. Après un autre soupir, je passe aux aveux :

— Oui, maman. Je t'ai demandé la permission de faire quelque chose et tu m'as dit non mais je l'ai fait quand même.

— Et ?…

— Et je suis désolée.

— Très bien… mais encore ? insiste ma mère.

Moi, Lili Graffiti, je commence à perdre les pédales. Je me suis excusée, non ? Qu'est-ce qu'il lui faut de plus ?

— Et ensuite ? demandent mes parents d'une seule et même voix.

Normalement, quand deux personnes disent un truc en même temps, je crie :

« Cric ou crac ! » et elles doivent se croiser les petits doigts. Mais ce n'est peut-être pas le moment de jouer à ça. Il vaudrait mieux crier : « Pouce ! » Et encore, je ne sais pas si ça marcherait.

– Eh bien ensuite… je ne sais pas… Vous ne voulez pas m'aider un peu ?

Ma mère secoue la tête mais papa vient à mon secours.

– La suite, la voilà, Lili : tu ne m'as jamais dit que ta mère n'était pas d'accord et tu m'as impliqué malgré moi dans cette histoire.

J'essaie de plaider ma cause :

– Peut-être… mais ce n'était pas un mensonge.

– Si. Un mensonge par omission, puisque tu t'es bien gardée de dire toute la vérité, souligne ma mère.

Mon père l'approuve d'un signe de tête. Dur ! Comment vais-je m'en sortir ? Cette conversation me rend folle. Je voudrais qu'on en finisse une bonne fois pour toutes et qu'on passe à autre chose. Qu'on me dise

ce qui va m'arriver, si je vais pouvoir garder mes boucles d'oreilles, aller faire des
courses avec papa demain et si mes parents
m'aiment encore.

Malheureusement nous n'en sommes pas
encore à la conclusion. On se remet à parler
de ce que j'ai fait et de ce qu'il faudrait faire
pour éviter ce genre d'incident à l'avenir. À
partir de maintenant, mes parents feront un
effort pour mieux communiquer. Ils se tien-
dront au courant de ce qui se passe, ils se
consulteront, ils essaieront de dire ce qu'ils
ont sur le cœur… et ils me demanderont ce
que je ressens de mon côté. Ils m'expli-
quent aussi que ce ne sera pas toujours
facile mais que les problèmes se résoudront
peu à peu si chacun y met du sien.

Pour finir, ils me font promettre de ne
plus « jouer sur les deux tableaux ».

— Est-ce que je pourrai aller faire des
courses avec papa demain ? je demande.

— Non, répondent-ils tous les deux, pile en
même temps.

Encore une occasion de crier : « Cric ou crac ! »… sauf que j'aurais préféré qu'ils disent oui.

Moi qui rêvais de voir mes parents d'accord ! Finalement, ce n'est pas si bien que ça.

Maman reprend :

– Ton père m'a expliqué pourquoi il tenait absolument à commander ses meubles le plus vite possible. Après avoir fait le tour de la question, nous sommes

arrivés à la conclusion suivante : tu l'aide-
ras à choisir tout ce qu'il faut sur catalogue… mais il est hors de question que tu
manques les cours demain.

Papa acquiesce.

Je crois avoir compris.

— C'est ma punition, hein ?

— En partie, oui, répond ma mère. Mais de
toute façon, même si tu n'avais pas fait cette
bêtise, je ne pense pas que je t'aurais laissée
manquer un jour d'école. Pour le reste de la
punition, nous n'avons encore rien fixé. Il
faut qu'on en discute, ton père et moi.

— Est-ce que je peux garder mes boucles
d'oreilles ?

Soupir de maman.

— Je ne sais pas… Laisse-moi le temps
d'y réfléchir… Pour l'instant, j'aurais plutôt tendance à te les faire enlever dès ce soir
pour que les trous se referment. Mais j'hé-
site encore…

Pour l'instant, moi, Lili Graffiti, je n'aime
pas du tout ce que ma mère est en train de

penser. Pourvu que j'arrive à la faire changer d'avis ! Je regarde papa d'un air implorant mais il secoue la tête.

— Ce n'est pas à moi de prendre la décision, Lili. Nous devons la prendre ensemble, ta mère et moi.

Puis il se tourne vers maman en fronçant les sourcils.

— Et pour l'instant, nous n'avons pas encore réussi à nous mettre d'accord.

Ma mère le regarde d'un air mauvais.

Dans cette histoire, je ne sais pas qui l'énerve le plus : moi ou mon père ?

Papa a l'air ennuyé, lui aussi. Et pas seulement à cause de moi, à mon avis.

J'ai peur qu'ils recommencent à se disputer.

Tout à coup, on sonne à la porte.

Ouf ! Sauvée par le gong.

Moi, Lili Graffiti, je crois que c'est le jour le plus long de ma vie. D'habitude, j'ai des journées assez bien remplies mais il ne se passe rien d'exceptionnel. Le train-train quotidien, quoi. Mais aujourd'hui il s'est passé plus de choses qu'en une semaine entière !

Je me suis levée, j'ai fabriqué des tas de cadeaux, je me suis tartinée de colle, je suis sortie avec mon père, je me suis fait percer les oreilles, j'ai visité ma nouvelle maison, j'ai rencontré plein de gens nouveaux qui vont bientôt faire partie de ma vie… et puis je suis revenue chez moi, ma mère a vu mes oreilles, j'ai filé dans ma chambre pour faire mon testament… ensuite il y a eu cette scène terrible avec mes parents… et voilà maintenant que quelqu'un sonne à la porte. Je me demande bien ce qui peut encore arriver !

Je me précipite pour aller ouvrir.

C'est Max.

— C'est bon de rentrer chez soi, me dit-il avec un grand sourire.

Il n'est pas encore vraiment chez lui puisqu'il n'habite pas ici, mais il aime bien dire ça, histoire de s'entraîner pour quand il sera marié avec maman.

En attendant, j'espère que mon père ne l'a pas entendu.

Je m'écarte pour laisser passer Max. Il porte un énorme carton rempli de trucs pour la soirée « spécial Noël » de notre équipe de bowling : un gros père Noël à piles qui fait

semblant de lancer une boule, des quilles
déguisées en lutins (c'est moi qui les ai
peintes l'autre jour, quand je suis allée chez
Max avec maman), plus des tonnes de
bonbons, des masses de gâteaux et de
petits cadeaux pour tous les membres de
l'équipe.

Max est le meilleur entraîneur du monde.

– Alors, Lili, raconte-moi ce qui s'est
passé ce 12 décembre ? me demande-t-il.

J'essaie de me rappeler ce que j'ai lu dans
mon agenda ce matin.

– *Le 12 décembre 1901, un type nommé Macaroni a envoyé le premier signal radio de l'autre côté de l'Atlantique.*

Max éclate de rire.

– Marconi, pas Macaroni ! C'était sûrement une bonne pâte… mais il était loin d'être nouille, tu sais.

Je ne comprends pas pourquoi mais ça l'amuse beaucoup.

– Où est Sarah ? me demande-t-il juste après.

– Dans la cuisine… en train de parler avec mon père.

– Ah…

Max se dirige vers la cuisine. En le voyant entrer, ma mère saute de son tabouret pour venir l'embrasser. Ensuite, Max dit bonjour à papa et papa dit bonjour à Max. D'un côté comme de l'autre, pas l'ombre d'un sourire… Je retiens mon souffle. Que va-t-il se passer ?

– Chéri ?… dit maman.

– Oui ! ?

Papa, Max et moi, on a répondu tous les trois en même temps. Du coup, ma mère précise :

— Max, tu veux bien venir dans le salon avec moi ? Philip et Lili vont rester un moment dans la cuisine pour regarder un catalogue de meubles. Pendant ce temps-là, on pourra discuter de la fête de l'équipe de bowling, d'accord ?

Max hoche la tête sans rien dire, puis il se dirige vers le frigo et prend une canette de bière pour lui, une canette d'eau gazeuse pour ma mère.

— Est-ce que je peux vous servir quelque chose ? nous demande-t-il.

Mon père secoue la tête.

— Je veux bien du jus d'orange, je dis.

Max me sert un verre, puis il referme la porte du frigo et quitte la pièce avec maman.

Papa les regarde s'en aller, après quoi il ouvre le catalogue.

À vos marques… Prêt… Feu… Achetez !

Comment transformer une maison vide en nid douillet ? Rien de plus simple, il suffit de choisir ce qui nous plaît !

Et c'est bien ce qu'on fait.

— *Baroukh atah Adonai, Eloheynou melekh ha-olam, asher kid' shanou be-mitzvotav ve-tzivanou le-hadlik ner shel Hanoukka.*

Tout en allumant les bougies du grand chandelier, Max récite la prière en hébreu.

Moi, Lili Graffiti, je lis la traduction : « Béni sois-Tu, Ô Seigneur notre Dieu, Roi de l'univers, Toi qui nous as honoré de Tes Commandements et pour qui nous allumons les cierges de Hanoukka. »

– Maintenant c'est l'heure de jouer au *dreidel*, dit Max.

Chacun notre tour, on lance la toupie et moi, Lili Graffiti, je gagne plein de pièces en chocolat. Une vraie fortune !

Ensuite, on se distribue les cadeaux. Je demande à Max d'ouvrir le sien en premier. J'ai trop hâte de savoir si ça va lui plaire… D'un autre côté, je meurs d'envie de savoir

ce qu'il va m'offrir. Moi, Lili Graffiti, j'adore déballer des paquets ! Comme Max le sait, il me laisse gentiment ouvrir le sien à sa place, puis il contemple mon duo sel-poivre.

– Exactement ce qu'il me fallait !

– Tu ne vas pas me dire que tu n'as pas de trucs à sel et poivre chez toi ?

Max secoue la tête.

– Pas d'aussi beaux, me dit-il. Je rêvais d'avoir une salière et une poivrière spécia-lement décorées à mon attention par une petite fille que j'aime de tout mon cœur.

– Et qui t'aime aussi, j'ajoute doucement.

On s'embrasse sous le regard attendri de ma mère. Elle a la larme à l'œil mais le sou-rire aux lèvres. Comme je sais qu'elle trouve ces objets assez moches, je m'amuse à la taquiner :

– Tu pleures parce que tu sais que, dans six mois, ces deux trucs débarqueront sur notre table, c'est ça ?

– Pas du tout, Lili, répond-elle en s'essuyant les yeux. Je pleure de joie, tu le sais bien.

— À ton tour maintenant, je dis en lui tendant un cadeau. C'est de la part de Max et moi.

Elle commence à dénouer le ruban, puis s'arrête en cours de route.

— Tu veux le faire ? me demande-t-elle.

Un peu que je veux ! J'adore ouvrir les cadeaux, même quand ils ne sont pas pour moi... et même quand je sais d'avance ce qu'il y a à l'intérieur. Une fois le papier déchiré, je lui redonne son cadeau :

— Max m'a aidée à le faire, le soir où tu es restée très tard au bureau.

C'est un album photo recouvert de velours rouge, avec des portraits de moi, de Max, et de nous trois ensemble, maman, Max et moi.

Après l'avoir feuilleté, elle se remet à pleurer comme une madeleine.

— Mon bébé ! dit-elle en s'approchant pour me prendre dans ses bras.

— Hé ! Je ne suis plus un bébé, je te signale !

— Si. Tu seras toujours mon bébé.

Une fois les embrassades terminées, Max me dit :

— À toi d'ouvrir ton cadeau maintenant.

Il me tend un gros paquet. Vu la façon dont il le porte, ça a l'air plutôt lourd.

— Pose-le sur la table, ce sera plus prudent, me dit-il.

Qu'est-ce que ça peut être ? Moi, Lili Graffiti, je suis drôlement intriguée. C'est peut-être la console de jeux que j'ai demandée pour Noël ? J'aimerais bien secouer le paquet pour avoir un indice, mais comme Max a dit que c'était fragile, je me contente de le soupeser. C'est vraiment très, très lourd. Je ne peux plus tenir : je déchire le papier et je soulève le couvercle de la boîte, mais ça ne m'apprend rien de plus car l'objet mystérieux est enveloppé dans un grand sac-poubelle vert, comme celui que j'ai pris pour emballer le ballon de Justin. Le suspense continue. J'ouvre le sac… C'est une boule de bowling ! Une superbe boule rose à paillettes. Il y a même mon nom gravé dessus… Je la prends et je la fais lentement tourner entre mes mains.

— Hé ! Il n'y a pas de trous !

— C'est la nouvelle tendance, me dit Max. Puis il éclate de rire en voyant ma tête.

— Mais non, je plaisante ! Je t'emmènerai demain au magasin de sport pour qu'ils creusent des trous à l'emplacement exact de tes petits doigts. Du sur-mesure, ma chère !

Je serre la boule contre moi.

– Comment vais-je l'appeler ?

Chacun se met à chercher un nom pour ma boule de bowling : Victoire… Cochon Rose… Comète-à-Paillettes… Destructor… Carambole… Ballamatic…

– J'ai trouvé ! Comme c'est une Boule de Bowling, je vais l'appeler B.B.

– Comme tu voudras, mon bébé, dit maman.

Je lui tire la langue.

– Dis, Max, tu voudras bien me prêter ta mallette pour la transporter ?

– Si tu veux… Mais mon petit doigt me dit que tu n'en auras pas besoin.

– Pourquoi ? Tu vas m'en offrir une ?

– Tu verras bien demain soir, quand on allumera de nouveau les bougies.

– Demain ? Oh, nooooon !

Ça me revient. Dire que je ne pourrai pas être là demain ! Je dois passer la soirée avec mon père. Ma première nuit chez lui, dans ma nouvelle chambre… Moi, Lili Graffiti, j'attends ce moment-là depuis longtemps. À présent, me voilà encore tiraillée des deux côtés : je meurs d'envie d'aller rue des Ormes… mais en même temps je voudrais rester rue des Marronniers. Et pas seulement pour le cadeau qui m'attend. Ça me plaît vraiment de fêter Hanoukka avec Max et maman.

Oui mais voilà : je ne peux pas être à deux endroits à la fois. Dur ! Et ce n'est qu'un début. Quand je pense que ça va être comme ça jusqu'à ma majorité… Même quand je serai grande, ce sera pareil. J'aurai toujours des choix à faire. C'est bizarre… Depuis que mes parents sont divorcés, je trouve que ma vie est à la fois plus agréable et plus difficile. Mais c'est comme ça… Il faudra bien que je m'y fasse.

— Ne t'inquiète pas, me dit maman. Il sera encore temps de fêter Hanoukka ensemble quand tu rentreras dimanche.

— Et tu l'auras, ton sac de bowling violet ! s'écrie Max.

Juste après avoir dit ça, il se met la main devant la bouche. « Oups ! »

– Pas très fort pour garder un secret, hein ? dit maman en le prenant par la taille.

Max prend l'air penaud et tout le monde éclate de rire.

Je repense à ma belle boule à paillettes et à mon futur sac de bowling. Rose et violet, mes deux couleurs préférées !

Moi, Lili Graffiti, je ne suis peut-être pas championne de bowling mais je ne risque pas de passer inaperçue avec mon super équipement !

■ CHAPITRE 14 ■■■

— Waouh ! C'est génial ! je m'écrie en voyant ma chambre.

— Beau travail, n'est-ce pas ? dit papa en souriant. Tout s'est fait du jour au lendemain. Quatre types sont venus assembler les meubles qu'on m'avait livrés, et en l'espace de quelques heures, tout a été installé.

Je contemple mon nouveau domaine. Il y a deux commodes, une penderie, un bureau et une chaise.

— Regarde, il ne manque rien, reprend

papa en passant en revue tous les détails. Un portemanteau, un tapis, des rideaux aux fenêtres… J'ai même pensé à accrocher un rideau de douche dans ta salle de bains et à enlever tous les cartons que j'y avais entreposés.

– Waouh ! Et c'est toi qui as tout fait ?

– Euh… en grande partie, oui, me répond-il. Mais je dois avouer que Mme Garfield – la dame qui fait le ménage chez les Marshall – m'a donné un bon coup de main. D'ailleurs, je lui ai demandé de venir travailler chez nous également.

– Ça veut dire que je n'aurai pas besoin de faire mon lit ?

– Si, quand même. Elle ne viendra qu'une fois par semaine, précise papa. Alors, si tu ne veux pas dormir dans un champ de bataille, il faudra que tu fasses ton lit toute seule, ma grande.

– La barbe !

Mon père va s'asseoir sur la chaise de bureau.

– Comment va-t-on s'organiser pour tes affaires, Lili ? Le mieux serait sans doute de laisser une partie de tes vêtements ici pour que tu n'aies pas à transporter une valise, les jours où tu viendras directement après l'école. Qu'en penses-tu ?

Moi, Lili Graffiti, je n'avais pas encore réfléchi à ce problème.

– Je n'en sais rien… Il faut que j'en parle à maman.

– Entendu. Et puisque c'est bientôt Noël, je te donnerai un bon d'achat pour que tu puisses faire quelques emplettes avec ta mère dans un grand magasin.

Je me demande si maman sera d'accord pour aller acheter des trucs qui devront rester chez mon père. Enfin… on verra bien.

Papa a dû se faire la même réflexion, parce qu'il ajoute tout de suite après :

– Si ça pose un problème, on demandera à Brenda de t'accompagner.

– Oh oui, ce serait super !

— Tu crois ? Finalement, je n'en suis pas si sûr.

— C'est ton idée pourtant, je lui fais remarquer.

— Oui… mais j'ai peur que tu reviennes affublée comme l'as de pique, me dit papa en faisant la grimace. Brenda est très gentille mais elle a des goûts vraiment bizarres, non ?

— Tu veux dire… comme ce qu'elle portait aujourd'hui, par exemple ?

Nous avons croisé Brenda tout à l'heure, quand elle s'apprêtait à sortir avec Polly. Elle avait mis une jupe par-dessus son caleçon – une jupe noire avec un gros caniche rose imprimé sur le devant —, des chaussettes en dentelle noire, des baskets roses et un grand T-shirt noir où il y avait marqué : « Vive le Rétro ».

Je ne vois pas ce que le Rétro vient faire là-dedans, mais tout ce que je sais, c'est que Brenda avait un look d'enfer ! Pendant une minute, moi, Lili Graffiti, j'essaie de

m'imaginer habillée de la même façon…
mais je crois que mon père n'apprécierait
pas tellement. Par contre, Polly est beaucoup plus classique.

– J'aime bien comment Polly s'habille, je
dis pour rassurer papa. On pourrait peut-
être lui demander de venir avec nous, le
jour où on ira faire des courses avec
Brenda ?

– Très bonne idée ! Vous n'aurez qu'à
décider d'une date après Noël et je vous
inviterai toutes les trois à déjeuner au restaurant ce jour-là.

– Génial !

Je pense à toutes les choses que je vais
pouvoir m'acheter. Tout compte fait, il y a
quand même des avantages avec la garde
partagée…

– Lili ! Monsieur Graffiti !

C'est Savannah qui nous appelle d'en
haut.

– Est-ce que je peux descendre ?

– Bien sûr !

Papa et moi, on a répondu pile en même temps.

— Cric ou crac ! je crie en levant mon petit doigt.

Papa accroche son petit doigt au mien, puis il se met à rire.

— Tu sais ce qui m'est arrivé l'autre jour, au bureau ? Mon patron et moi, nous avons dit la même chose en même temps et je n'ai pas pu m'empêcher de crier : « Cric ou crac ! » J'étais affreusement gêné.

— Et ton patron, qu'est-ce qu'il a dit ? Il a dû te prendre pour un fou, non ?

Papa se remet à rire.

— Pas du tout ! Il a une fille de six ans qui n'arrête pas de lui faire le coup. Alors nous avons croisé nos petits doigts, selon les règles.

Savannah et Dylan déboulent dans ma chambre. Ils rigolent comme des baleines tout en gardant les mains dans le dos, comme pour cacher quelque chose.

— Devine ! me lance Dylan. Il faut que tu trouves ce que c'est.

Je hais ce jeu. J'aime bien faire deviner aux autres, mais pas l'inverse.

— Je parie que tu trouveras jamais, reprend Dylan en sautant sur place.

S'il y a un truc que je déteste encore plus que ce jeu débile, c'est qu'on me dise que je ne devinerai jamais. Finalement, Dylan craque le premier. Il sort son bras et brandit une sucette. Mais pas n'importe laquelle : le bâton est enfoncé dans un rat en plastique coupé en deux. Savannah en a une, elle aussi, mais avec une grenouille coupée en deux.

— Dégoûtant. Vraiment dégoûtant… Il faut absolument que je m'en achète une !

— Joyeux Noël ! dit Savannah en me tendant un petit paquet mal ficelé. Étant donné qu'on ne te verra pas ce jour-là, on préfère te donner ton cadeau à l'avance.

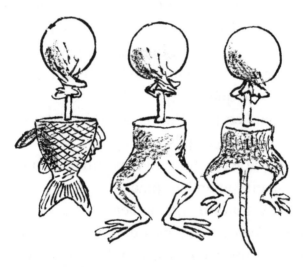

Je déchire le papier. C'est une sucette comme les leurs, sauf que moi, j'ai droit à un poisson coupé en deux. Super !

— Merci beaucoup.

On met les sucettes dans notre bouche.

On dirait qu'on est en train d'avaler une bestiole. C'est vraiment dégueu… mais j'adore ça.

J'ai l'impression que ça ne va pas être triste de vivre sous le même toit que la famille Marshall !

Chère Lili,

Surprise… Une carte de Noël de ton vieux copain Justin (tu te souviens de moi ?). C'est ma mère qui m'a dit de t'écrire (tu sais que j'ai horreur de ça)… J'aimerais bien qu'on soit encore voisins, toi et moi… Les garçons d'ici pensent que c'est la honte d'être ami avec une fille, mais avec toi c'est pas pareil. (Rassure-moi : j'espère que tu n'as pas changé et que tu ne fais pas collection de poupées Barbie, hein ?)

Tes cadeaux sont bien arrivés... mais ma mère ne veut pas qu'on les ouvre avant Noël. Vu la façon dont tu les as enveloppés, Danny et moi on a tout de suite deviné ce que c'était (on s'est même amusés à les faire rebondir à travers le sac... Le nœud a un peu souffert mais le paquet a tenu bon). J'espère qu'on ne s'est pas trompés et que ce n'est pas un truc fragile, sinon ma mère va nous assassiner !

Plus que deux jours avant Noël... Vivement que ça arrive, j'en peux plus !

Bon... eh ben... Joyeux Noël et bonne année !

Justin

P.S. Je vais aller dans un camp d'été aux prochaines vacances. C'est mes parents qui m'offrent ça pour Noël (en plus du reste). Tu devrais demander aux tiens si tu peux y aller toi aussi. Ce serait géant, non ?

Cher Justin,

Enfin des nouvelles de toi… C'est pas trop tôt !

Je suis super contente que tu m'aies écrit. En fait, ta carte est arrivée juste après Noël (ça ne m'étonne pas de toi… Est-ce que tu rends toujours tes devoirs en retard ? ? ? ? ?).

À mon tour de te souhaiter un joyeux Noël (avec du retard) et une bonne année (avec un peu d'avance) ! Et aussi joyeux

Hanoukka, même si on ne le fête pas chez toi… Maintenant chez moi, oui. Je trouve ça bien d'apprendre à connaître d'autres religions… et à multiplier les occasions de faire la fête !

J'ai plein de choses à te raconter mais il faut que je me prépare pour retourner chez ma mère (en ce moment, je suis chez mon père). J'ai deux maisons maintenant… et ce n'est pas toujours facile à gérer. Parfois j'ai envie de mettre un truc… et je m'aperçois qu'il est resté dans mon autre chez-moi. Parfois je veux finir un livre… et zut ! je réalise que je l'ai oublié de l'autre côté. Parfois je m'ennuie de ma mère quand je suis chez mon père… Parfois c'est le contraire. Et quand je suis d'un côté, je me demande toujours si je ne suis pas en train de rater quelque chose de l'autre. Pfff !

En tout cas, je suis drôlement contente que mon père soit revenu. Il n'aurait jamais dû partir, c'est même lui qui me l'a dit… Mais on en a parlé ensemble et maintenant je comprends mieux (j'en ai assez de me casser la tête avec tous ces problèmes : la séparation de mes parents et tout ce que ça a entraîné, pourquoi ils font tel ou tel truc… Mais je ne peux pas m'empêcher de réfléchir à tout ça… surtout en ce qui concerne papa).

Parfois, à cause de tout ça, j'ai l'impression de grandir plus vite que je le voudrais… Et puis zut !

Tu sais, il y a une autre famille qui habite dans la même maison que mon père et moi. Les Marshall. Ils vivent en haut, nous en bas. À mon avis, tu t'entendrais bien avec Dylan. Il a deux ans de plus que nous… mais il n'arrête pas de faire le crétin ! Hier, il a glissé un vieux rat en caoutchouc sous mon oreiller. Si tu avais vu ma tête quand je m'en suis aperçue ! Mes cris ont réveillé toute la maison… sauf Dylan qui dormait comme un loir ! Il a beau être marrant, il est un peu pénible, parfois… Mais je parie que tu l'aimerais bien.

Tu sais quoi ? Je me suis fait percer les oreilles ! ! ! Et en cachette de ma mère, en plus ! Oui, je sais, c'est pas bien. Moi, Vilaine Lili Graffiti ! Après ça, j'ai eu peur qu'on me force à reboucher mes trous, ou qu'on m'interdise de porter des boucles d'oreilles, ou pire encore : qu'on m'oblige à porter des boucles Barney ou Barbie pour le restant de ma vie. Mais non. Au lieu de ça, il faudra que je rembourse les frais de bijouterie à mon père et que je paie le médecin si mes oreilles s'infectent (aïe ! pourvu que non !). Dernière chose : je devrai garder la même paire de boucles d'oreilles jusqu'à mes douze ans. Je sais ce que tu vas dire : « Tout ça, c'est des trucs de filles… Se faire des trous dans les oreilles, berk ! » Mais pour moi, c'est vraiment important.

Il y a d'autres choses qui me tracassent… mais comme tu n'aimes pas qu'on parle trop sérieusement, c'est à Brandi et Kelly que je confierai mes petits soucis… Ou à

Brenda, ma Lili-sitter… ou encore à Polly et Savannah, les deux filles qui habitent au-dessus.

Quoi d'autre ? Eh bien… Toi, Justin Morris, tu me manques terriblement. Je parie que tu trouves ça « gnangnan » mais c'est la vérité. Ce serait génial si on pouvait se retrouver cet été. Je vais supplier mes parents à genoux pour qu'ils me laissent partir dans le même camp que toi.

Je te souhaite encore une bonne année (au fait : quand va naître ton petit frère ou ta petite sœur ? ? ?). J'espère qu'il t'arrivera des tas de trucs super l'an prochain… et à moi aussi.

Je t'embrasse,

Lili

FIN

Paula Danziger est née à Washington aux États-Unis en 1944. Avant de se consacrer à l'écriture elle fut professeur d'anglais, conseillère pédagogique puis animatrice d'une émission télévisée pour les enfants. Ses livres ont été traduits en plusieurs langues et récompensés par de nombreux prix littéraires. Paula Danziger adore voyager pour rencontrer des enfants du monde entier. Le personnage de Lili Graffiti lui a été inspiré par une conversation téléphonique avec sa nièce de sept ans, Carrie. Paula Danziger partage maintenant son temps entre les États-Unis et l'Angleterre.

Tony Ross est né à Londres en 1938. Après des études de dessin, il travaille dans la publicité puis devient professeur à l'école des beaux-arts de Manchester. En 1973, il publie ses premiers livres pour enfants. Sous des allures de rêveur fantaisiste et volontiers farceur, Tony Ross est un travailleur acharné : on lui doit des centaines d'albums, de couvertures, d'illustrations de romans. Capable de mettre son talent au service des textes des plus grands auteurs (Roald Dahl, Oscar Wilde), il est aussi le créateur d'albums inoubliables.

Voici, parmi les nombreux autres titres
de la collection Folio Cadet, une petite sélection variée.